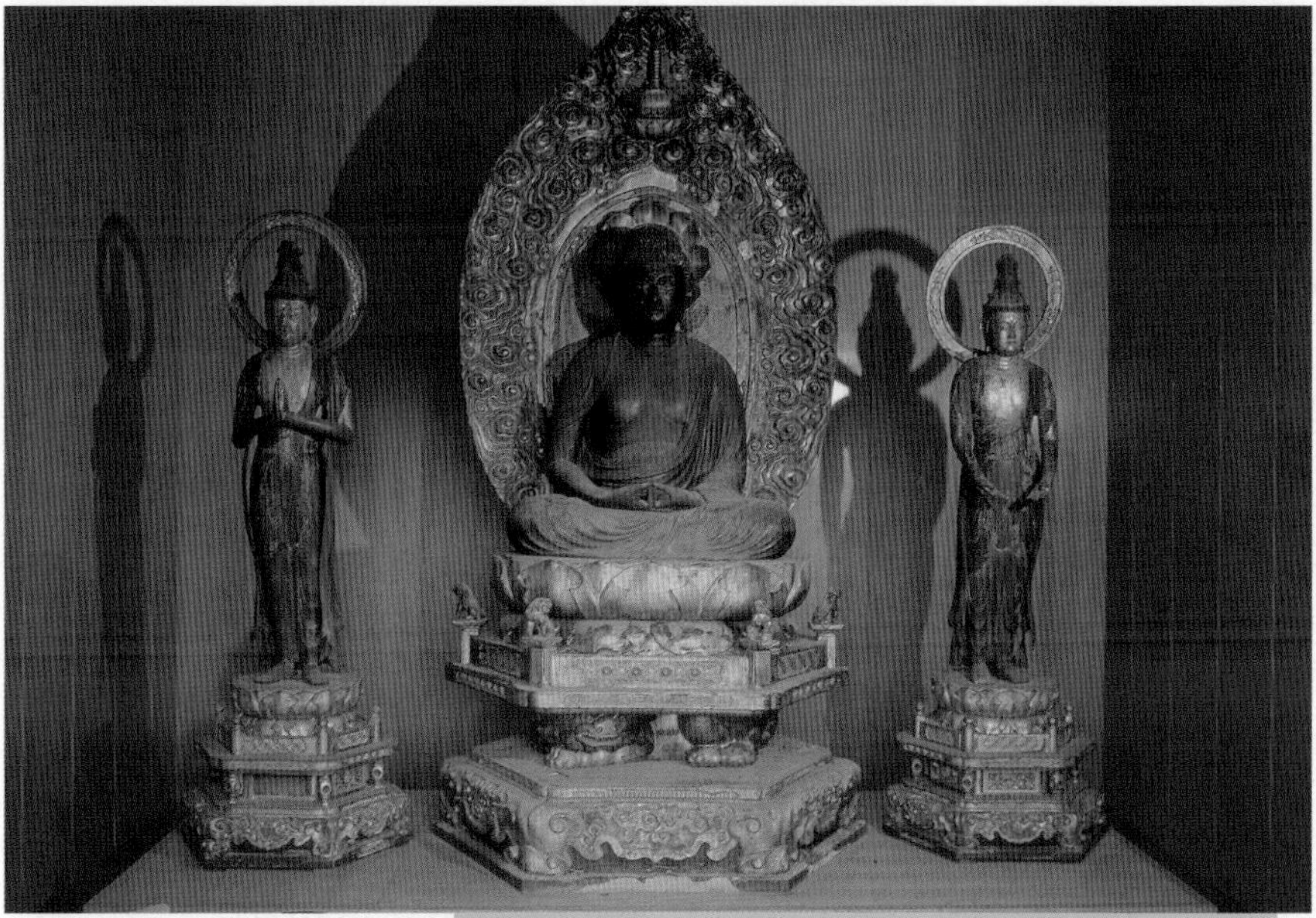

泉福寺阿弥陀三尊像〔滑川町教育委員会提供〕
（本書 47 頁参照）

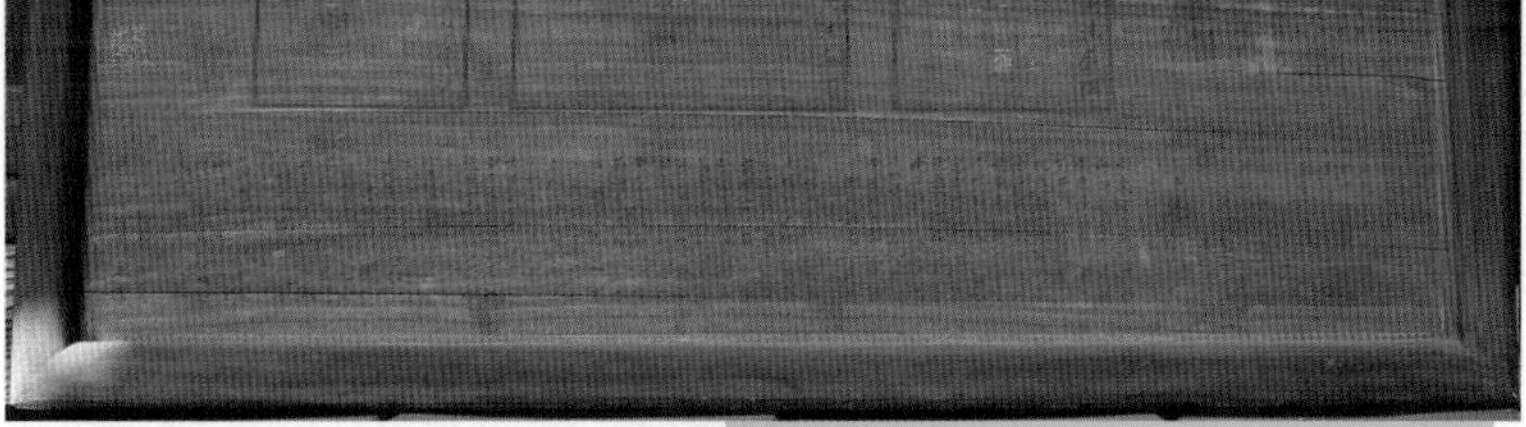

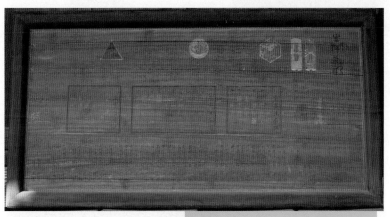

小林三徳の算額（本書 98 頁参照）

福田観音の滑川町内最大の板碑
（本書 57 頁参照）

福田馬頭観音裏の建長板碑
（本書 57 頁参照）

泉福寺の弘安板碑（本書 47 頁参照）

真福寺の鰐口（本書 77 頁参照）
〔写真上・表側　写真下・裏側〕

慶徳寺・四天王像（本書 107 頁参照）

広目天

多聞天

増長天

持国天

滑川町歴史点描

高柳 茂

まつやま書房

はしがき

滑川町の歴史に関する本は、一九八四年に『滑川村史通史編』・『同民俗編』が発行された以外には、私の知る限り特に見当たらない。『滑川村史』は通史編・民俗編合わせて一八〇〇ページを越える大部なもので手ごろで読みやすい本とはいいがたい。発行から四〇年近くが過ぎてやや古くなってしまったことは否めない。しかし、基本図書には違いない。

二〇一四年には、町制三〇周年記念事業の一環として『滑川町ふるさと散歩道』という冊子が発行された。これは『広報なめがわ』に掲載された町の文化財や歴史に関する記事を再編したもので、手軽で読みやすいものであるが、残念なことにあまり知られておらず普及していない。

私は二〇一五年に『滑川町の地名』を出版し、その中に歴史解説的な文章も入れたが、多くの人の目に触れたとはいいがたい。これ以前に、県立桶川高校の『研究紀要』に小論文をいくつか発表したこともあるが、少部数のため読まれていないと思われる。また、『埼玉史談』などに町の歴史に関わる短い論文をいくつか発表しているが、会員以外にはほとんど読まれない性質のものであり、町内では全く知られていないといっても過言ではない。

そこで、町の歴史を扱った新しい本を書こうと考えたのであるが、自分一人で旧石器時代から現代までの通史を書くことは不可能であるので、いくつかの話題に絞った点描的なものを作ろうと考えた次第である。話題を選ぶ際の手掛かりは、指定文化財と『なめがわ郷土かるた』を想定してみた。『なめがわ郷土かるた』は町制一〇周年記念として作成されたもので、小中学生にはなじみ深いものである。郷土かるたや指定文化財に名前があがる史跡などは、聞いたことはあってもその内容まではよく知らないというのが実情であると思われるので、それらを題材にして書いてみた。

寺社や史跡を訪ねると、解説板が設置されているが、風化してよく見えないものや、難解で分かりずらいものも少なくない。解説板よりは分かりやすくなるよう努力はしてみた。しかし、一人でほそぼそと調べたものなので、不十分な点や誤認もあるかも知れないが、楽しんでいただければ幸甚である。

資料集としての面も考えて、碑文の原文なども入れたが、難しい漢文が多いので、こういう部分は飛ばして読んでいただいても差し支えないと思う。

先人の研究に多くを負っていることは言うまでもないが、少しは自分で気づいたことも含まれている。たとえば、教育者関係の碑文の多くは『埼玉県教育史金石文集』から引用したが、誤りに気付いたものは訂正した。

ただし、全体を通じて、個人的な関心と能力の問題から、取り上げた題材と説明には限界と偏りがあることはご海容願いたい。改めて前著『滑川町の地名』と読み比べてみると、内容の重複が多く大して進歩もしていないが、地名とはまた別の観点から書かれたものと理解していただければありがたい。

なお、今日までに至るについては、畏友内田満氏から多くの刺激を与えていただき、また吉田憲正・木村俊彦・関口正幸の各氏からは、多くの御教示をいただいてきた。ここに改めてお礼申し上げる次第である。

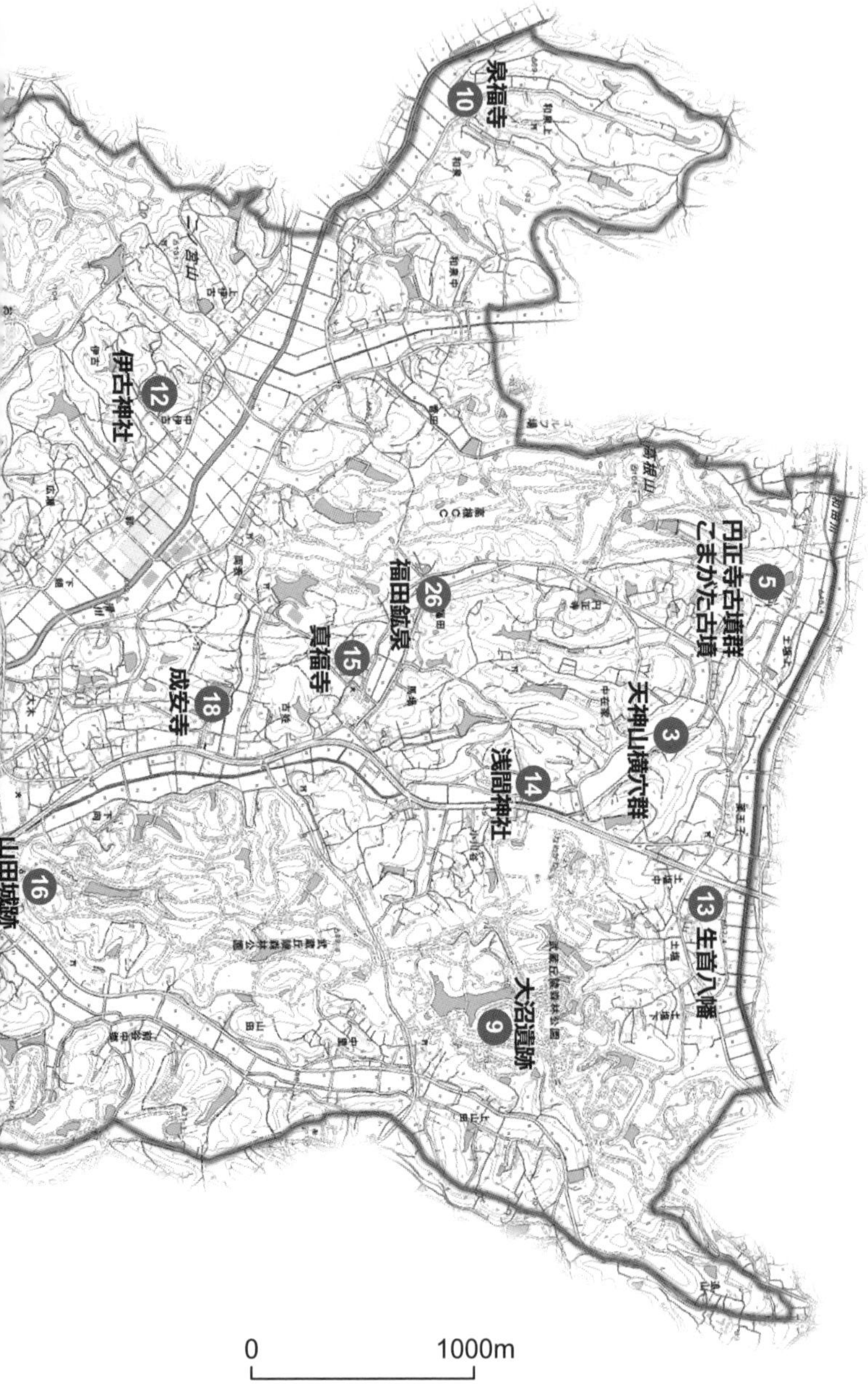

国土地理院：電子ポータル地図引用（北方・右）

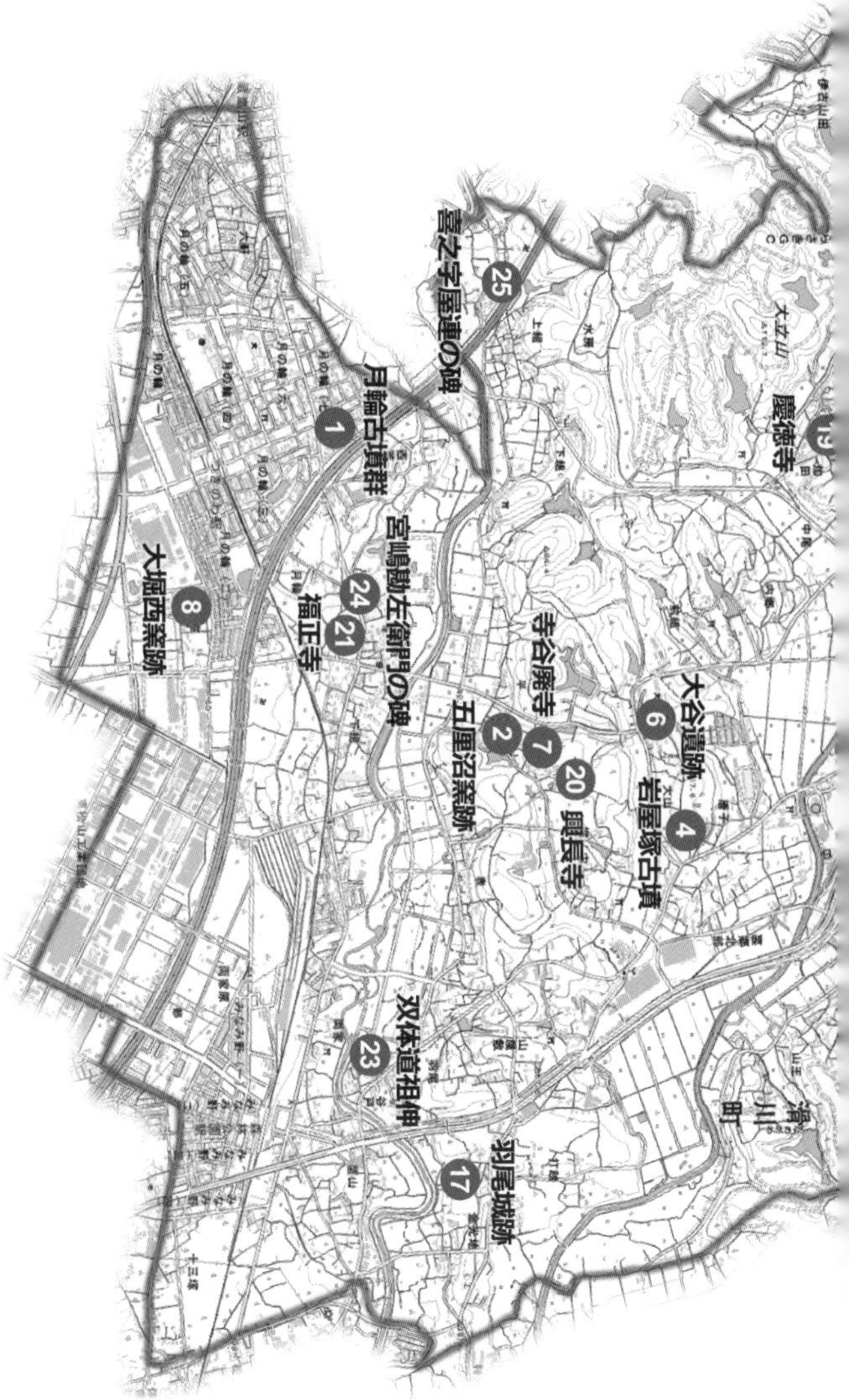

25 喜之字屋連の碑
1 月輪古墳群
24 宮嶋勘左衛門の碑
21 福正寺
8 大堀西窯跡
寺谷廃寺
2 五厘沼窯跡
7
20 興長寺
6 大谷遺跡
4 岩屋塚古墳
19 慶徳寺
大立山
23 双体道祖神
17 羽尾城跡
滑川町

滑川町歴史点描◎目　次

はしがき————1

一　月輪古墳群……10
二　五厘沼窯跡……22
三　天神山横穴群……27
四　岩屋塚古墳……29
五　円正寺古墳群こまがた古墳……32
六　大谷遺跡……34
七　寺谷廃寺……36
八　大堀西窯跡……41
九　大沼遺跡……43
一〇　泉福寺と三門館跡……47

一一　板碑……57
一二　伊古神社……64
一三　生首八幡……70
一四　浅間神社と鰐口……73
一五　真福寺と鰐口……77
一六　山田城跡……89
一七　羽尾城跡（羽尾館跡）……93
一八　成安寺・福田観音と酒井氏……98
一九　慶徳寺・四天王と加田薬師……107
二〇　興長寺と愚禅……113
二一　福正寺と勢至堂……118
二二　貞享四年裁許状……123
二三　双体道祖神……127
二四　宮嶋勘左衛門の碑……129
二五　喜之字屋連の碑……133
二六　福田鉱泉……136

二七　滑川町ゆかりの人物……………143
①上野茂 143　②内田祐五郎 143　③大久保福郷・福恭・福清 145　④大塚奓恵八 148
⑤音羽山 151　⑥海雲尼 152　⑦神山岩次郎 152　⑧神山熊蔵 155　⑨栗原靄山 161
⑩栗原正一 164　⑪栗原辰右衛門 164　⑫設楽羽山 166　⑬竹二坊 169　⑭堀口亀吉 173
⑮宮崎貞吉 175　⑯宮島新三郎 178　⑰鳴水毛受雄也 178　⑱吉野米三郎 180
二八　その他の史料……………183
①中尾権現谷の布目瓦・銅器 183　②羽尾興長寺出土古銭 184　③福田真福寺宝篋印塔 185
④山田豊濼検校宝篋印塔 186　⑤山田東光寺棟札 187　⑥羽尾千体地蔵棟札 189
⑦福田富士塚上平行の碑 190
あとがき――192
参考文献――196

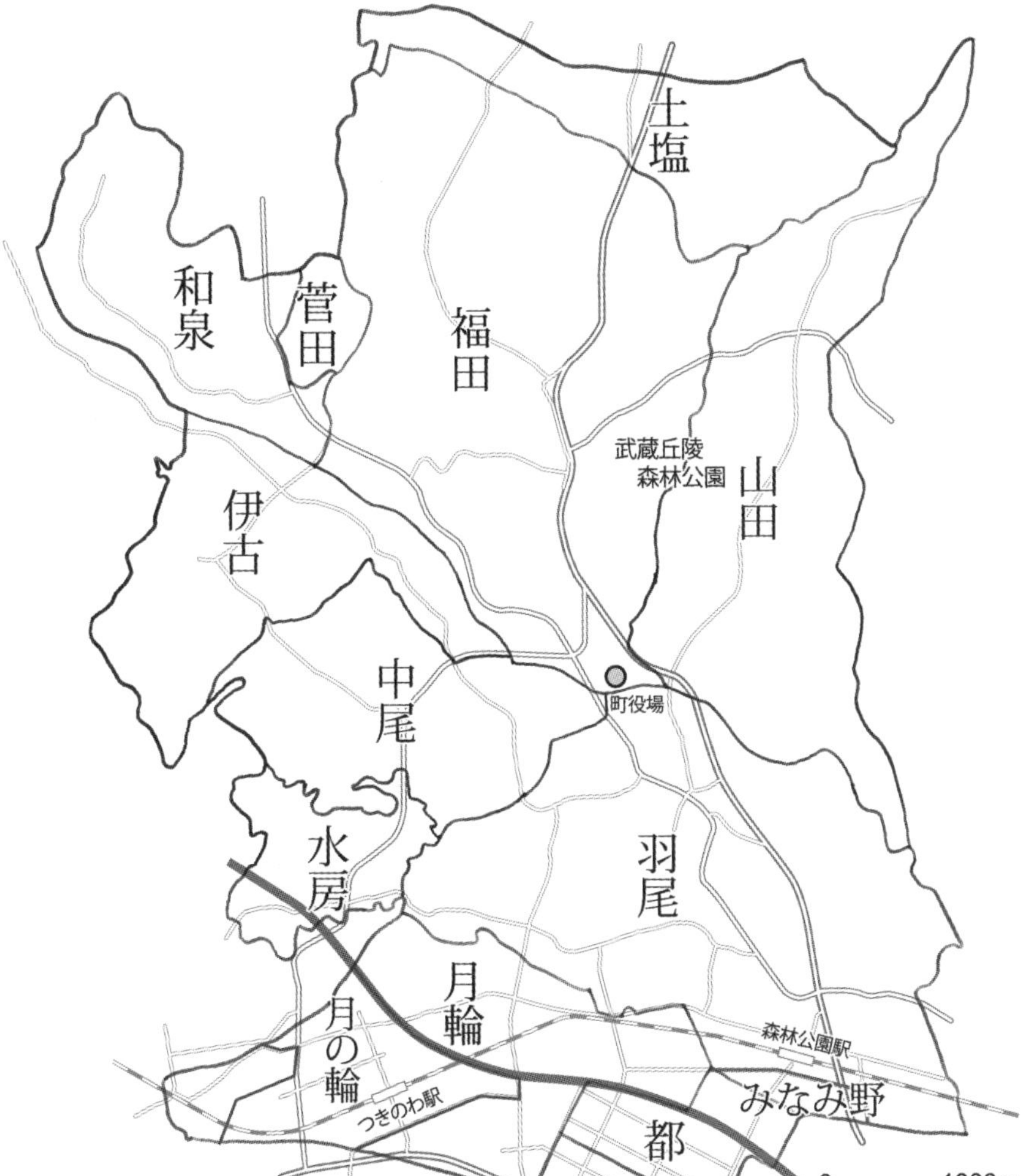

土塩
和泉
菅田
福田
武蔵丘陵
森林公園
山田
伊古
中尾
町役場
水房
羽尾
月輪
月の輪
森林公園駅
みなみ野
つきのわ駅
都
0
1000m

一　月輪古墳群

県選定重要遺跡

月輪古墳群は、月輪字西荒井前（月の輪六・七丁目）辺りを中心に分布していた古墳時代後期の古墳群で、一部は嵐山町川島字屋田に及んでいる。数基の中期古墳を含むが、大半は六世紀を中心にした群集墳で、総計で一〇〇基をこえる古墳が存在していたと想定される。区画整理事業に伴い五九基の古墳が発掘調査され、消滅した。今は二五基から三〇基が残っている。

これ以前に、関越自動車道を作るときに九基が発掘され、また嵐山町が調査したものもあるので、約七〇基の古墳の内容が分かっている。ほとんどは円墳であるが、帆立貝形古墳が四基、造出付円墳が一基、方墳の可能性のあるものが一基、前方後円墳の可能性が指摘されるものが一基ある。報告書では造出付円墳も帆立貝形としているが、私は前方部が非常に小さいので円墳の造出と考える。

帆立貝形とは前方後円墳の前方部が短いもので、前方後円墳よりは格付けが落ちると理解されているものである。発掘された古墳では、二四・六メートルの帆立貝形が一番大きなものである。

月輪神社古墳は、現状では直径約三五メートルの円墳に見えるが、南西部に張り出した部分があり、前方後円墳または帆立貝形古墳の可能性がある。篠崎稲荷の乗っている古墳は、一辺約二七メートルの方墳かもしれない。墳丘上に残る緑泥石片岩や扁平川原石の存在から、横穴式石室があったと推定されるので、方墳だとすれば、終末期の有力者の墓である可能性が高い。帆立貝形の中には、はじめ円墳として作られ、途中から帆立貝形に変更されたと推定されるものがあり、築造途中で作ってよい古墳が格上げされたような事情がうかがわれる。

月輪神社古墳

帆立貝形古墳（「月輪遺跡群」）

月輪古墳群の概要

群集墳とは、首長（王）の古墳とは違い、直径一〇メートルほどの小規模な古墳が狭い範囲に集中して築造されたものである。古墳時代中期末から後期になって、地方の民衆から新たに台頭してきた有力家長層を大和政権が直接把握する方向に支配を強めたさい、その見返りに古墳を作ることを許された有力農工漁民の集団墓である。ほとんどは円墳であるが、一部には小さな前方後円墳や帆立貝形前方後円墳も見られる。直刀や鉄鏃を副葬している古墳が多いことから、被葬者が軍事編成に組み込まれたことの反映でもある。

約一〇〇基の古墳は、分布の仕方をよく見るといくつかの単位（支群）に分かれていることが想定できる。支群を識別することは容易ではないが、分布状況から私は中心部は一三の支群に分けることができると考えている。これ以外に、単独で少し離れた位置にある古墳が数基あるが、これはここでは支群に数えないこととする。すべての支群が同時に開始されるのではなく、七世紀初めころまでに一三の支群が形成されたのである。

古墳の年代を〇期：五世紀前半、一期：五世紀後半、二期：五世紀末から六世紀初頭、三期：六世紀前半、四期：六世紀中頃から後半、五期：六世紀末から七世紀初めというふうに分けると、〇期に造られた古墳は二基（二支群）、一期には四基（四支群）、二期には二七基（八支群）、三期には二〇基（七支群）、四期には六基（四支群）、五期には七基（五支群）となり、

月輪古墳群分布図

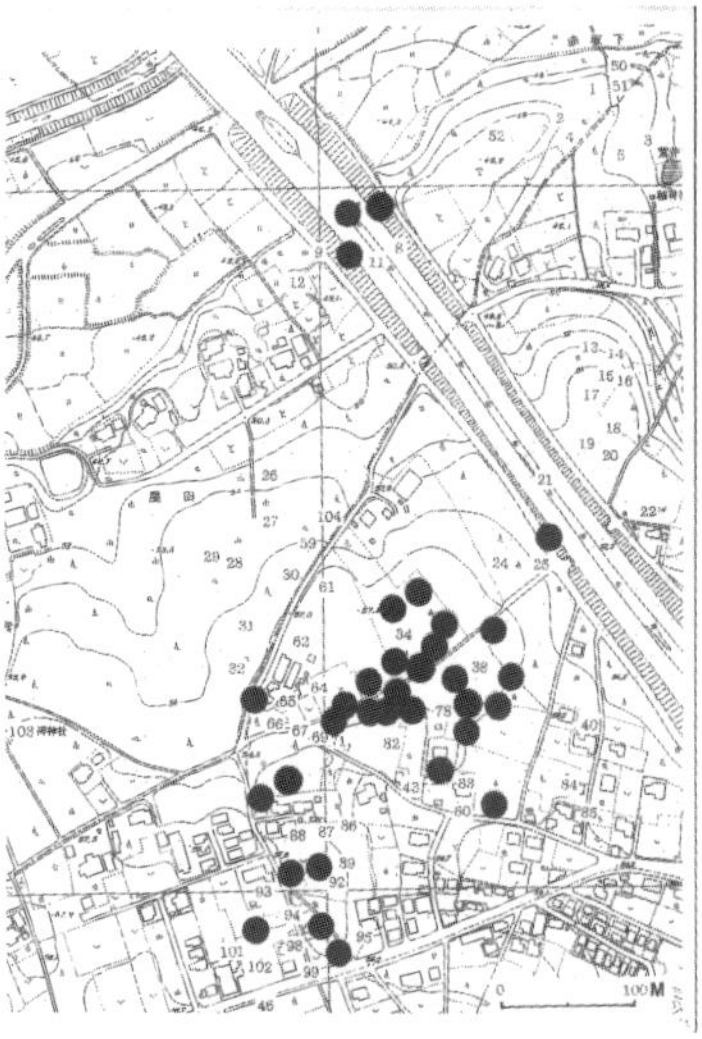

月輪古墳群時期別分布図 **2 期**

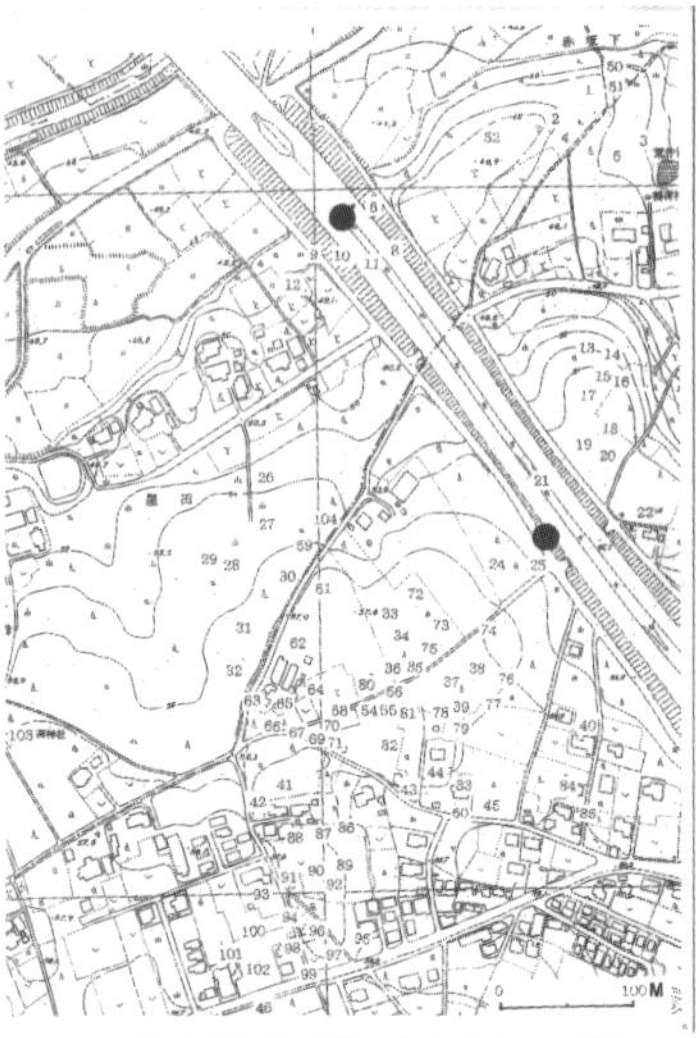

月輪古墳群時期別分布図 **0 期**

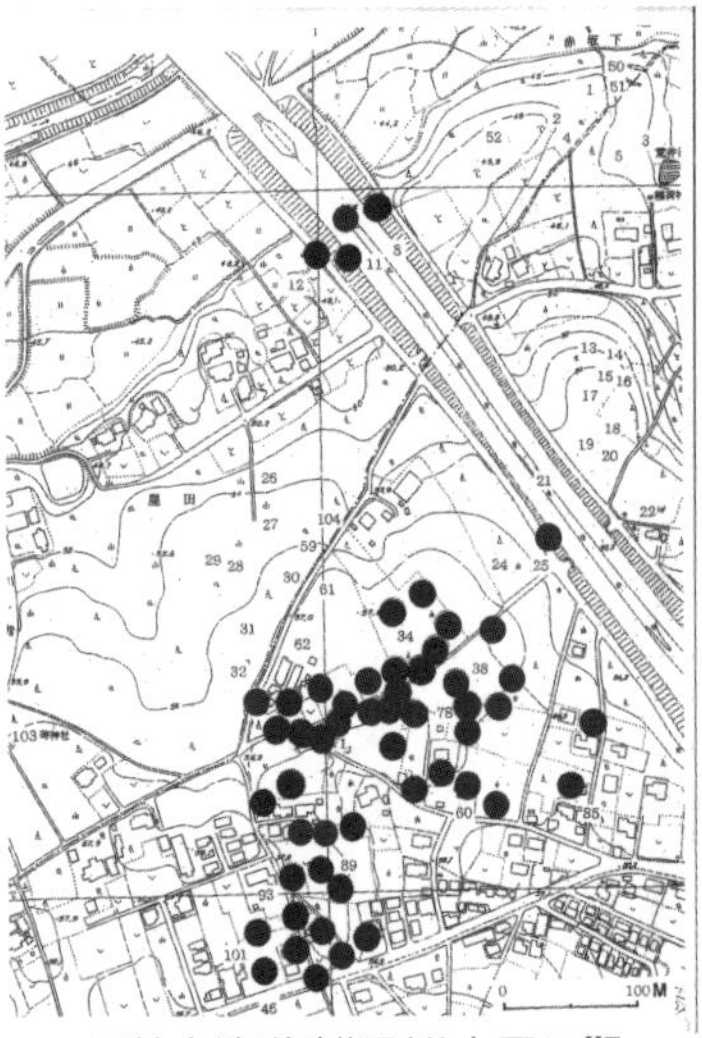

月輪古墳群時期別分布図 **3 期**

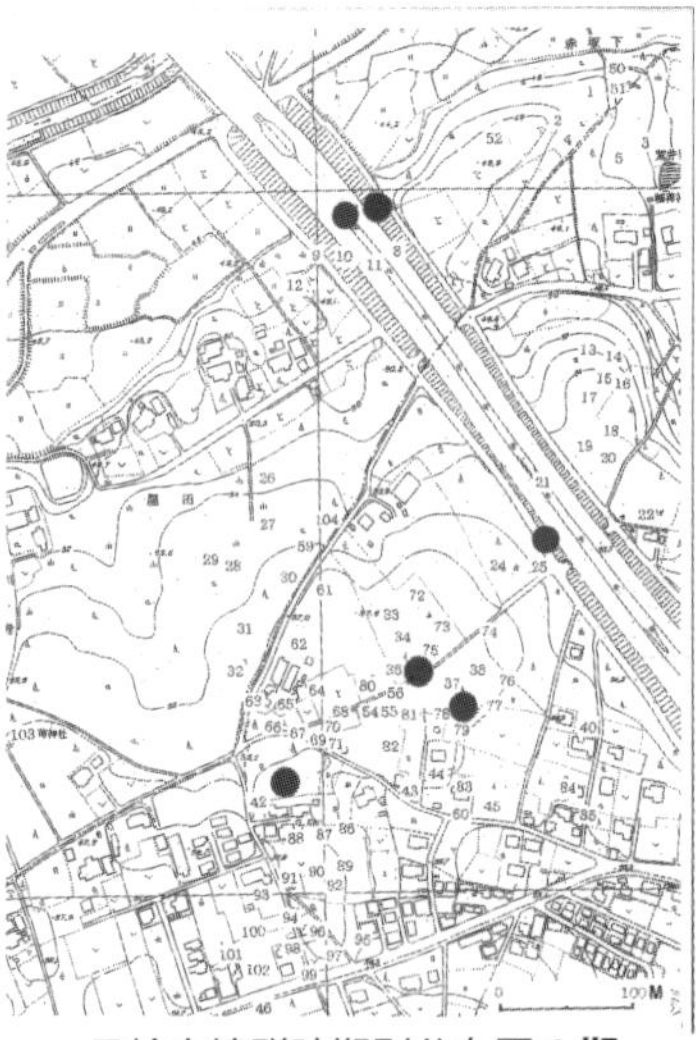

月輪古墳群時期別分布図 **1 期**

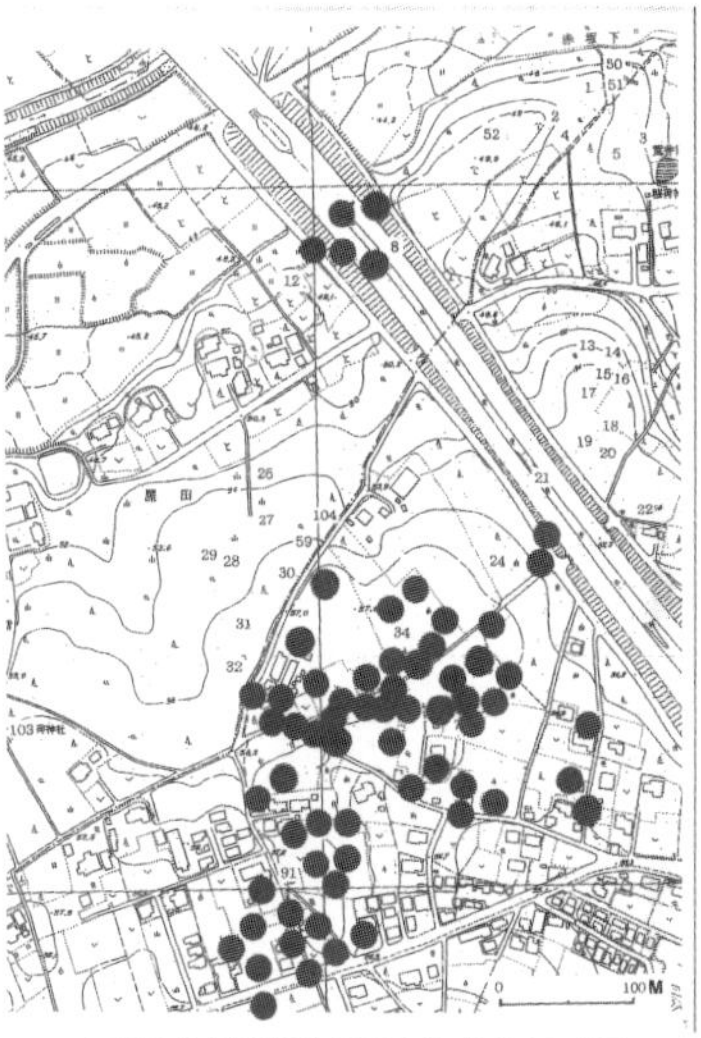

月輪古墳群時期別分布図 **5 期**

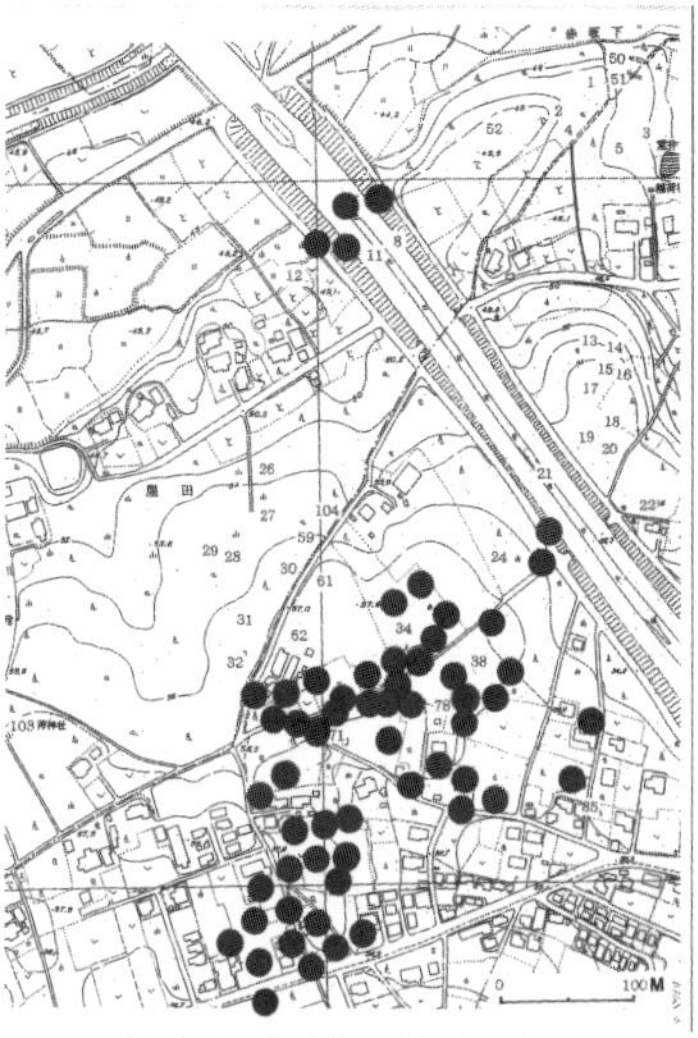

月輪古墳群時期別分布図 **4 期**

月の輪７丁目にある「こふん公園」

支群が増えてゆくことが推定できる。ただし、時期の不明なⅠ・Ⅲ支群と、Ⅴ支群の大部分は除いてある。多分Ⅰ・Ⅲ支群は二から三期、Ⅴ支群は四から五期であろう。全体として、二・三期に中心があり、六世紀前半に最盛期を迎えたことがわかる。つまり、支群には栄枯盛衰があり、途中から古墳が作られなくなる群があり、また一方で、途中から始まる群もあるということである。新しい支群には、帆立貝形古墳から始まる場合があり、三つの支群で最初の古墳が帆立貝形古墳となっている。このような支群の家長は、その力を認められて新しく古墳を造営することを許され、円墳より格が上の帆立貝形を作ることができたのであろう。

支群がどのような集団を基礎にしているかは、直接的には分からないが、家長の死を契機に新しい古墳が築造されると想定できるようである。古墳時代の家族は現代の単婚家族とは違い、奈良時代の戸籍を参考に推定すれば、何組かの夫婦を含む二〇人から三〇人ほどの家父長制的な家族と思われる。

古墳時代後期の六世紀後半になると、横穴式石室が普及したので、前家長の死後に亡くなった家長以外の家族員は、前家長の石室に追葬されたと推定される。ただし全員ではなかったようである。言い換えると、墳丘に埋葬されない人物がいたということである。すなわち、墳丘の裾や堀の底に土坑（穴）を掘って埋められたり、墳丘のそばや裾に埴輪棺という、埴輪を棺に代用した埋葬があった。月輪古墳群の埴輪棺はほとんど小形のもので、子どもを葬ったものと考えるのが適当である。要するに、家族員や集団の中にも階層差があり、場合によっては隷属的な人物も含まれていたと考えられるのである。

月輪古墳群の内容とその調査の歴史

月輪古墳群は、横穴式石室普及以前の古墳が多いので、埋葬施設は、木棺直葬や粘土槨・礫槨である。粘土槨・礫槨は木棺を粘土や礫で覆う方式で、木棺直葬と同じく一回限りの埋葬で追葬はできない。したがって、家長以外の家族は同じ墳丘に木棺直葬などを追加するか、直径五メートルから八メートルの小さな古墳を家長の古墳のそばに造ったのではないだろうか。ちなみに、このころの古墳には夫婦は合葬されていないことが歯の計測による研究で推測されている。妻は原則として出身地に帰葬された可能性が高いようである。

古墳の被葬者の格差は、古墳の大きさ（直径）にも表れる。すなわち、五～九メートル：二九基、九～一三メートル：二六基、一三～一七メートル：三〇基、一七～二二メートル：一一基、二二メートル～三五メートル：四基である。直径一三メートルまでに全体の五五％が入っている。

また、埴輪設置の仕方にも階層差があり、円筒埴輪以外にも形象埴輪をもつかどうか、形象埴輪があっても、人物と馬だけか、それとも鶏・家・盾など種類が多いかどうかで差が見られるのである。単純に見える円筒埴輪にも規制があったとみられ、突帯（凸帯）の数と埴輪の大きさには格差がある。増田逸朗氏は、「一〇〇メートル級前方後円墳↓六条凸帯、五〇メートル級前方後円墳↓三条凸帯、円墳↓二条凸帯という具合に円筒埴輪が墳形に対応する」と指摘している。月輪古墳群では墳丘に立てられた円筒埴輪はすべて二条突帯三段構成のものであった。

副葬品は多くなく、鉄剣・直刀・刀子・玉類・耳輪（金環）などである。埴輪は多くの古墳に設置され、円筒埴輪が墳丘を巡って置かれていたと考えられる。形象埴輪は、人物・馬が多く家・鶏もある。人物埴輪には、武人・馬子・巫女がある。巫女は祭祀・儀式などの場で家長に奉仕する様子を表しているものと思われる。武人は軍事的な奉仕や警備の象徴であろう。埴輪群の意味には多くの説があるが、私は王・家長など被葬者が生前に活躍した場面を再現して顕彰・記念する群像と理解している。

ところで、一九三四（昭和九年）一一月二五日の『東京日日新聞』に月輪古墳群から出土した人物埴輪二体に関する記事と写真が掲載された。この埴輪のうち一体は、現在、奈良県の天理参考館に収蔵されている。つばのある帽子をかぶり、鍬のようなものを担いだ姿で、農夫を表したものと考えられる。まことに稀有なことであるが、残念ながら他の一体は行方不明であ

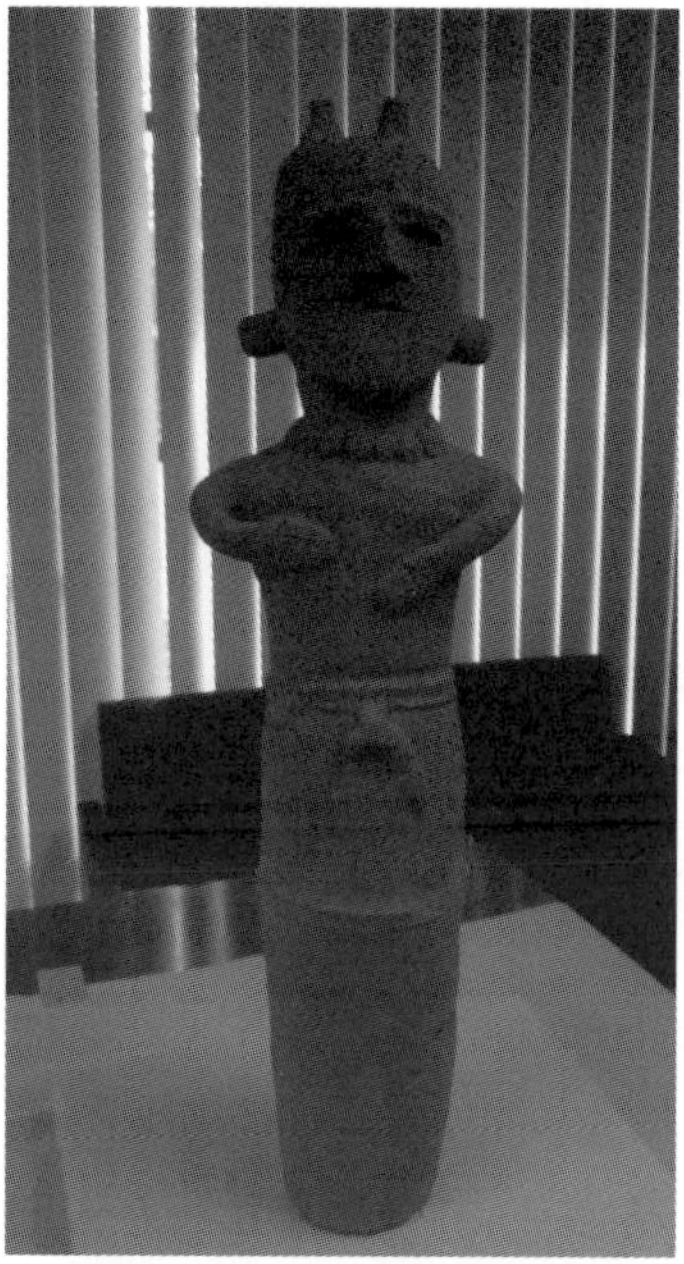

長瀞総合博物館旧蔵の男子埴輪

天理参考館の男子埴輪
（「東西の古墳文化」）

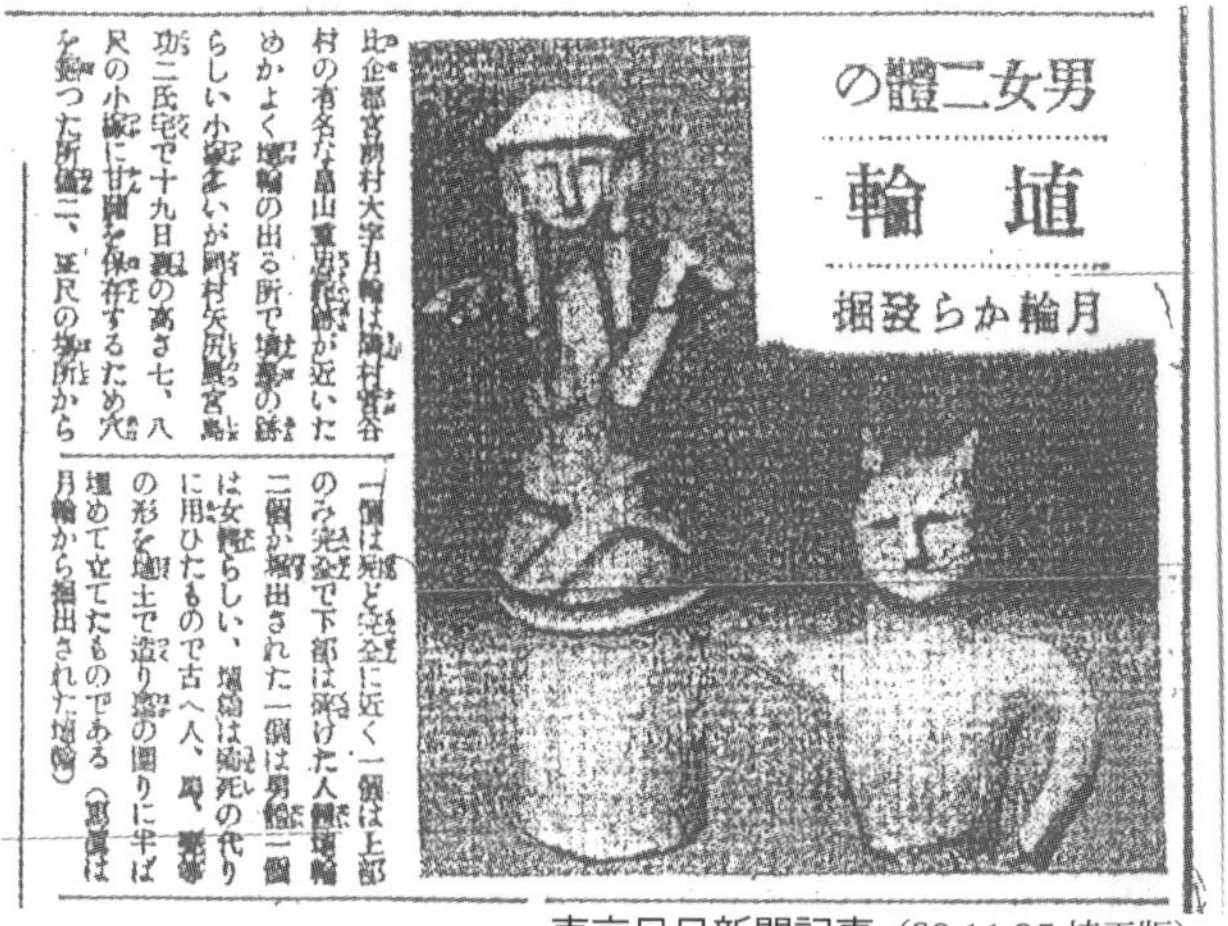

男女二體の
埴　輪
月輪から發掘

比企郡宮前村大字月輪は隣村菅谷村の有名な畠山重忠館跡が近いためかよく埴輪の出る所で墳墓の跡らしい小塚が多いが同村矢尻農宮島功二氏宅で十九日高さ七、八尺の小塚に甘藷を保存するため穴を掘つた所約二、三尺の場所から一個は殆ど完全に近く一個は上部のみ完全で下部は缺けた人體埴輪二個が掘出された一個は男體一個は女體らしい、埴輪は殉死の代りに用ひたもので古へ人、馬、家等の形を埴土で造り墓の圍りに半ば埋めて立てたものである（寫眞は月輪から掘出された埴輪）

東京日日新聞記事（S9.11.25 埼玉版）

る。農夫埴輪を出土したと推定される古墳からは、区画整理の際の発掘で巫女埴輪が二体発見された。この三体の埴輪には、前面の帯の所に小さな穴がある。私は初めは鳥の羽か榊の枝を刺した穴かと想像したが、今は前に差し出した腕が乾燥中に粘土の重みで下がらないように支えるための棒を差し込んだ穴ではないかと考えている。このような事例があることは杉山晋作氏がすでに指摘している。

埼玉県立歴史と民俗の博物館には、月輪古墳群から出たという人物埴輪（馬子か）と馬形埴輪が収蔵されている。しかし、どの古墳から発見されたのかは不明である。また、長瀞総合博物館には福田村出土と伝えられた人物埴輪があった。今は県立さきたま史跡の博物館にある。金井塚良一氏はこれも月輪古墳群から出たものと推定したが、顔の作りから月輪古墳群の埴輪ではない可能性も小さくない。

一九五一年に、宮前村で古墳の発掘が行われたときの新聞記事を紹介したい。月輪古墳群の一基と羽尾字平裏の一基・今の宮前小学校校庭にあった一基（わたご塚）の古墳調査である。埼玉新聞の昭和二六年一月二六日の記事である。

「縄紋時代の遺跡　比企宮前　駒井教授らが発掘　東大考古学教授駒井和愛、三上次男両氏は同校生十名、鎌倉考友会員等とともにこの程郷土文化研究のため比企郡宮前村を訪れ、同村福島一郎氏の案内で去る廿一日から卅一日まで同村羽尾、月の輪等三カ所に分れ発掘を行っているが三日目の廿四日羽尾地先石川松次郎氏所有松林地下一メートル位のところから、なかば腐はいしている縄紋後期（千五百年前）と見られる三尺位の直刀一本、同小型の小刀一本、つば一個のほか石斧などが続々発見され、同地方一帯は千数百年前相当な勢力をもった豪族が居住していたことが裏書された。」

古墳時代を縄文時代と取り違えているが、今となっては貴重な記録である。

家形埴輪と宮島家の家の前から出土したという女子埴輪は町指定考古資料である。

月輪古墳群の埴輪を焼いた窯はどこであるかはっきりしない。台地裾には粘土の出る所もあり、近くに未発見の埴輪窯がある可能性もある。

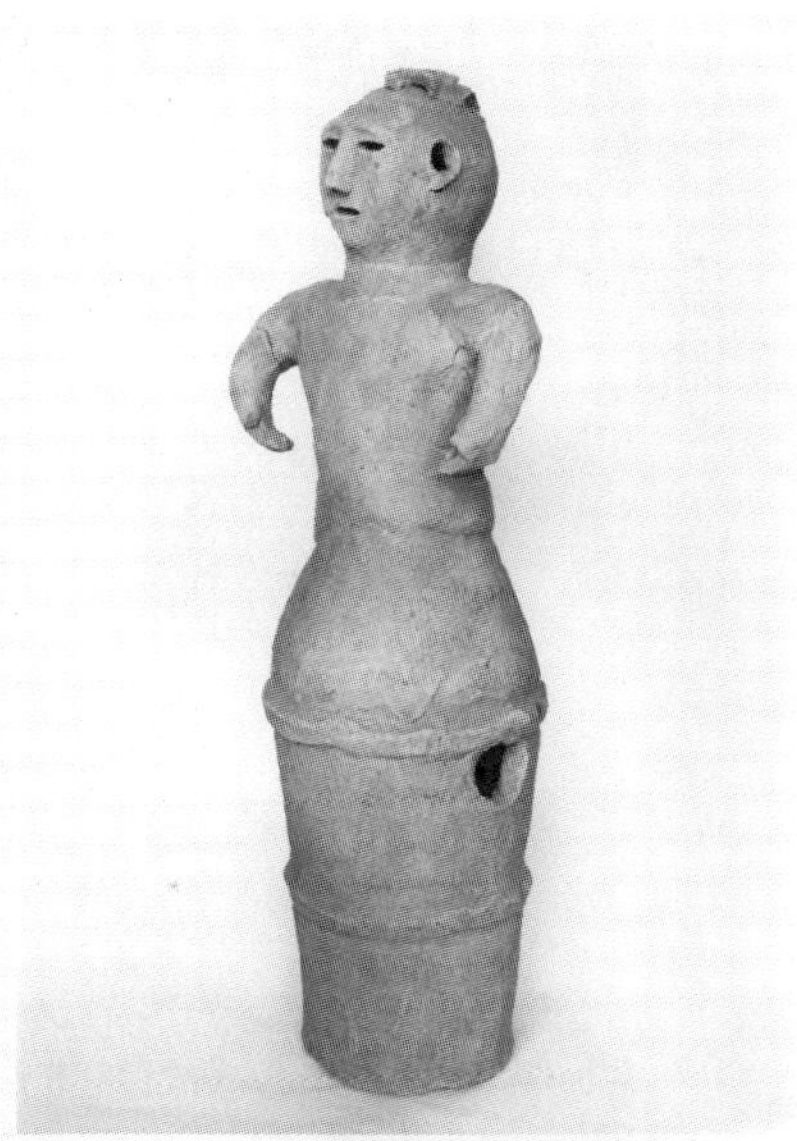

宮島家女子埴輪

家形埴輪（「月輪遺跡群」）

二　五厘沼窯跡

県指定史跡

羽尾の五厘沼窯跡は須恵器を焼いた古墳時代後期の窯跡である。須恵器とは、縄文土器や弥生土器の系譜をひく素焼きの土器とは違い、古墳時代中期に朝鮮半島から伝わってきた新しい焼き物である。窖窯（いわゆる登り窯）という地下式または半地下式の窯を使い、一一〇〇度から一二〇〇度の高温で焼かれたものである。焼成の最後に窯を密閉し空気を遮断して、赤く酸化した土器を還元するので、焼き上がりは青灰色で非常に硬く耐水性の優れた焼き物となる。窯は長さ約一三メートル、内幅一・五から一・八メートル、内高約一メートルで、約二〇度の角度があった。

五厘沼窯跡

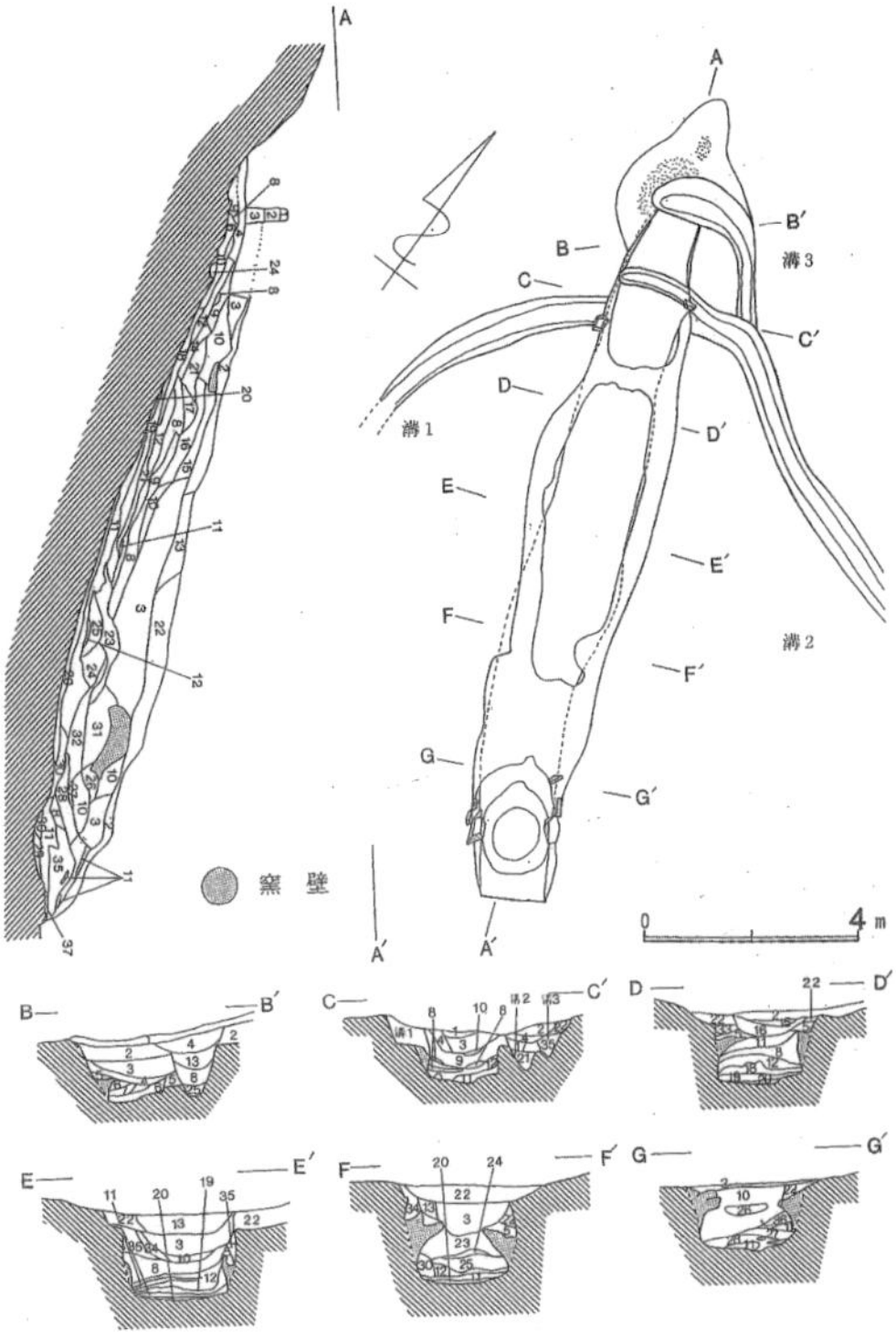

五厘沼窯跡実測図（「羽尾窯跡発掘調査報告書」）

埋め戻す前の五厘沼窯跡

五厘沼窯跡は六世紀末から七世紀初めの年代が与えられている。窯の両側に溝が掘られていて排水溝とされるが、最近では空気の入り方を調節して温度を管理する排煙調節溝とする説もある。調査を担当した高橋一夫氏は、溝と窯を掘り替えながら、三回改築したと推定している。修理しながら数回の焼成をしたことは間違いないだろう。なお、高橋氏は窯の右（東）側に捨て場と名付けた破片などの廃棄場所があったことから、窯の下に沼があって失敗品や灰などを捨てられないから側の捨て場に捨てたと考え、窯よりも沼の方が古いと推定した。

私は、捨て場は狭いもので捨てられていたものも量が多くないことから、天井が落下などした部分を修理したときに出たものを捨てただけで、本来の灰原は窯の下にあったと考えている。つまり沼の方が窯より新しいと思う。理由は、沼の水がなくなったときに中を歩いたが、かなり須恵器の破片が落ちていたこと、沼の堤のえぐれた部分を内側からよく観察すると、須恵器の破片を含んだ灰黒色の土層が見えたことである。つまり沼を作るときに灰原の灰や須恵器の破片は堤の中に積み込まれたと考えるのである。

五厘沼窯跡の北西約一五〇メートルの所に平谷窯跡群がある。現在は二基の窯跡が確認されているが、さらに南に分布している可能性がある。平谷窯跡群は、初め須恵器を焼いていたが後に瓦も焼くようになったことが分かっている。そしてこの瓦が東の尾根に散布していることから、ここを寺谷廃寺と呼んでいる。軒丸瓦の型式や瓦と一緒に出る須恵器の形から六三〇年代ころの時期が与えられ、東日本最古の寺跡とされる。しかし、今のところ寺院の建物の存在を示す礎石などが発見されず、寺院としての実態は不明である。

五厘沼窯跡の北北西約九〇〇メートル、宮前小学校裏の北斜面には、花気窯跡がある。これも須恵器の窯跡で、時期も五厘沼窯跡とほぼ同じ六世紀末から七世紀初めである。このように、寺谷廃寺の周辺には西暦六〇〇年ころから新来の文化による大きな変化が起きていたこと

平谷窯跡群（1981年）

花気窯跡

が想像できる。

古代寺院が建立される地域には、前の時代に大きな前方後円墳が築かれたり、終末期の大方墳があるなど、有力者の系列が想定される場合が多いが、寺谷廃寺の周辺にはそれほど大規模な古墳はなく、寺院造営の背景には謎がある。

平谷窯跡群・花気窯跡は町指定史跡である。

三　天神山横穴群

県指定史跡

福田字中在家裏の南西斜面に、横穴が一基開口している。これは吉見百穴と同じ古墳時代後期の横穴墓群である。年代の手掛かりは確認されていないが、形態からみて吉見百穴とほぼ同様の時期が想定できる。六世紀後半から七世紀前半のものであろう。以前は三基から五基が開口していたというが、埋められてしまい現在は一基のみ中まで入ることができる。電気探査の結果、三段から四段に並ぶ横穴群が埋没していることが推定され、合計で二〇から三〇基ほどあるとされている。開口している一号横穴の玄室の大きさは、約二・四メートル四方で、高さは約一・六メートルである。

横穴群は群集墳の一形態で、歴史上の基本的な性格は墳丘をもった古墳群と変わらないと考えてよい。しかし、墳丘をもたないことから、一般的には、墳丘や横穴式石室をもつ古墳よりは一段下に格付けられた埋葬様式と考えられる。この横穴群の上の丘陵には、墳丘を持つ古墳群が分布しており、埴輪片も散布していた。何らかの社会的階層か職能の違いが墓の形式に反映しているのであろう。

天神山横穴

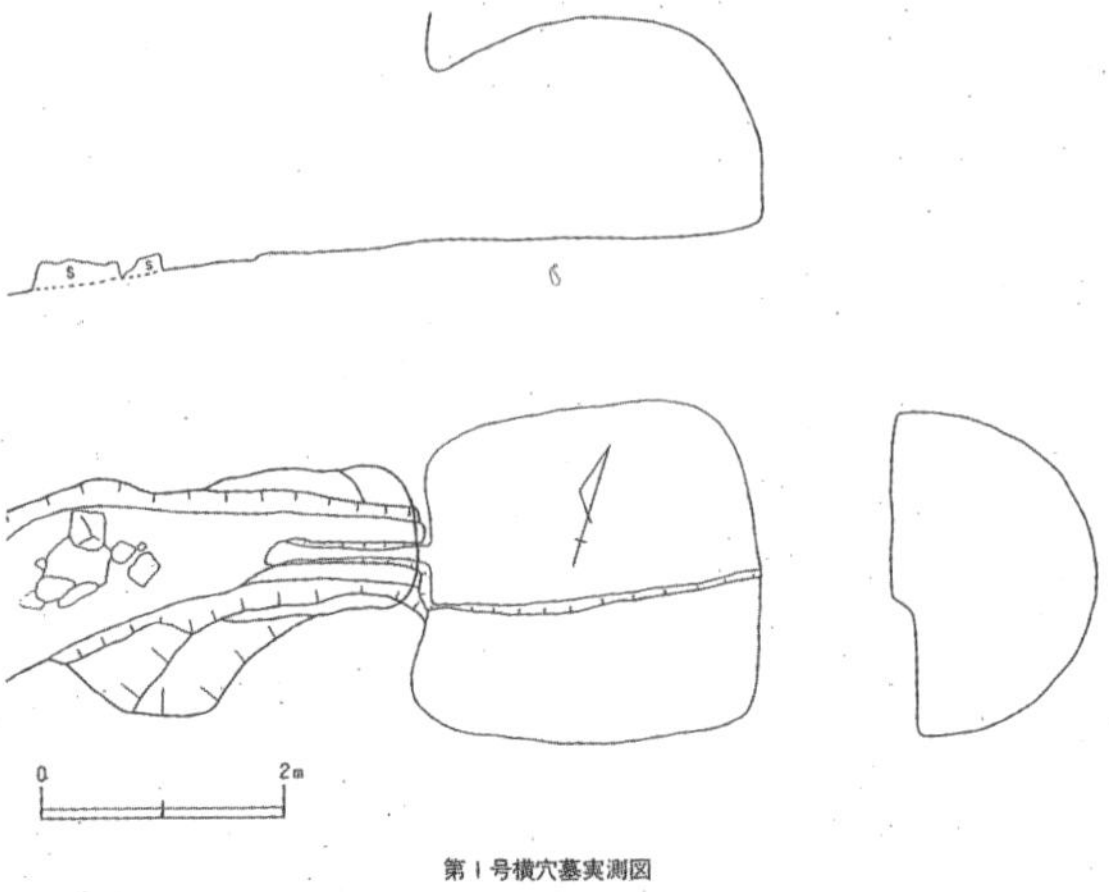

天神山横穴実測図（「埼玉県指定文化財調査報告書 18」）

四　岩屋塚古墳

町指定史跡

羽尾字大谷にある横穴式石室で、墳丘は失われて今は石室が露出している。時期は古墳時代後期で、石室の形からみて七世紀後半と推定されている。石室の入り口の通路に当たる部分が失われて、玄室（奥室）のみが残存している。玄室は方形ではなく側壁に胴張があり少し外側に湾曲しているのが特徴である。大きさは、長さ二・三メートル、最大幅一・七五メートルである。岩屋塚の東一五〇メートルの所では大道古墳が発掘され、ほぼ同じ時期の胴張形横穴式石室の一部が確認された。

この辺りには、かつて古墳が多く分布していた。花気窯跡の上から宮前小学校の校庭にかけて存在した大谷古

岩屋塚古墳石室

墳群、唐子沼の北側丘陵に分布していた唐子古墳群、岩屋塚古墳から東の大道にかけて所在した大道古墳群である。今は大半が消滅して数基が残るのみである。岩屋塚は大道古墳群に含めて考えるのが適当である。

比企地方を中心に広がる胴張のある横穴式石室について、かつて金井塚良一氏は渡来系氏族の壬生吉志氏が畿内地方から持ち込んだものとの説を出したことがある。壬生吉志氏は横見郡に設置された横渟屯倉の管掌者として派遣されて来たと考えたのである。しかし、屯倉設置の時期や、胴張形石室の系譜・年代など、さまざまな点に疑問が出され、今は否定されている。

私は、森田悌氏の説くように、横渟屯倉は六世紀前半に設置され、管理者として派遣されたのは飛鳥部吉志氏と考えている。したがって、胴張式の横穴式石室は壬生吉志氏が伝えたものではないと考える。そもそも、畿内には比企地方にあるような胴張石室は存在しない。壬生吉志氏は七世紀初め頃に武蔵国にやってきて、男衾郡など未開の土地の開発に当たった氏族であり、年代が違う。

なお、壬生吉志氏は、男衾郡で九世紀に大きな勢力をもっていた。『類聚三代格』の承和八年（八四一）の記録では、榎津郷戸主外従八位上壬生吉志福正が二人の息子の調庸の一生分を前納したいと申し出て許されている。また、『続日本後紀』には承和一二年（八四五）に前男衾郡大領外従八位上壬生吉志福正が、焼失した武蔵国分寺の七重塔の再建を申し出たという記事がある。大領とは郡司の長官のことである。熊谷市柴にある寺内廃寺は壬生吉志氏の氏寺ではないかと推定される。この寺は八世紀中頃から一〇世紀後半まで存続したようである。

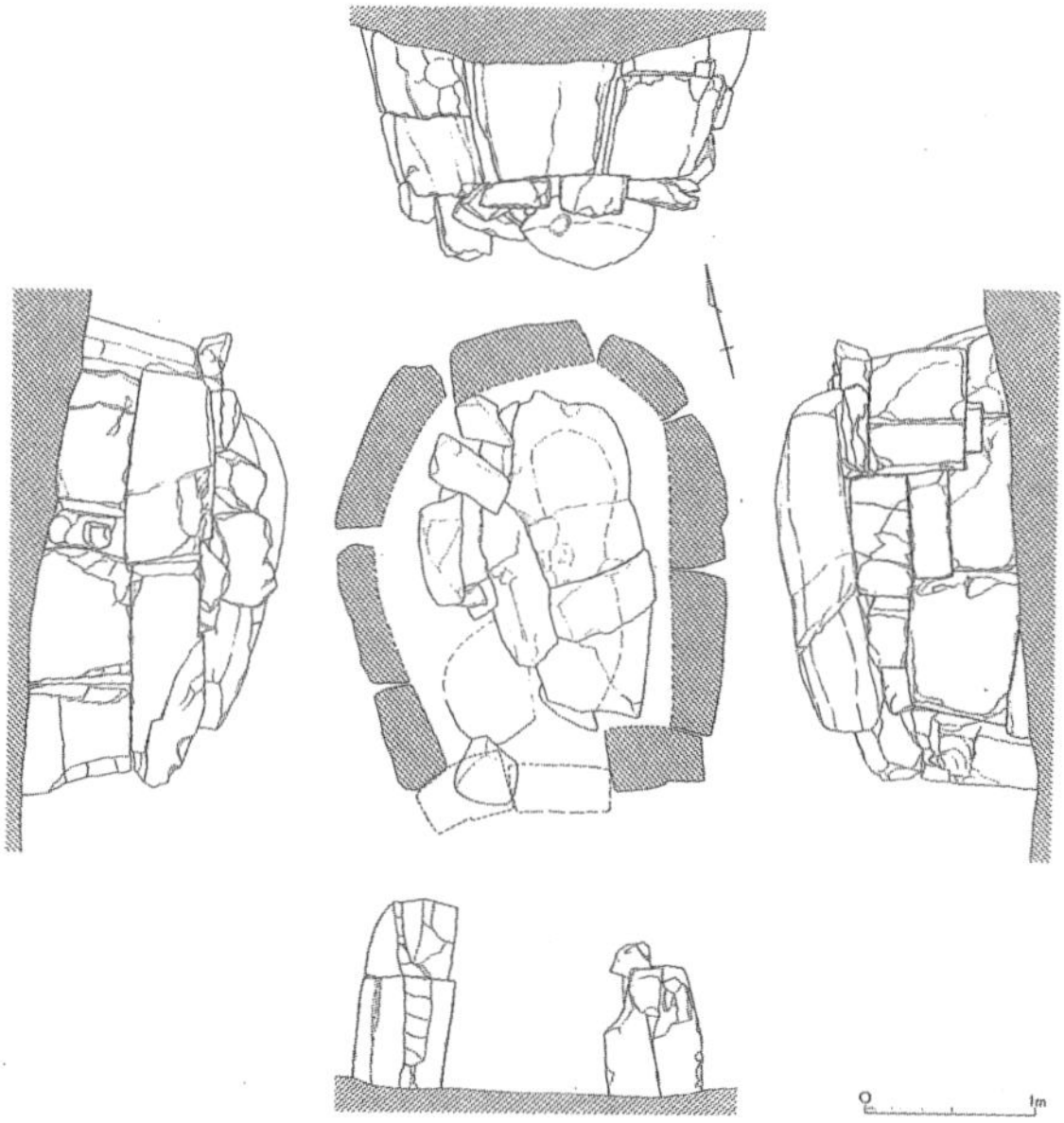

岩屋塚古墳石室実測図（埼玉県埋蔵文化財調査事業団「研究紀要 5」）

五　円正寺古墳群こまがた古墳

町指定史跡

土塩字新屋敷と福田字北ノ原に分布する古墳群である。

この古墳群は、円正寺古墳群・台原古墳群などと呼ばれ、名称が一定しなかったが、村の文化財に指定するときに、現在のような名前にした経緯がある。本来は新屋敷または北ノ原古墳群とすべきだったが、円正寺古墳群という名前がある程度普及していたのを採用したのである。

一号墳は墳丘長約三二メートル、高さ三・四メールの前方後円墳で、二・三号墳は円墳である。二号墳には駒形社が乗っている。一号墳からは埴輪片が採集され、石室の存在が推定されるので、六世紀中頃から後半の時期が考えられる。滑川町には、前方後円墳で墳丘が残るのは確実なも

駒形１号墳（白線は墳丘輪郭）

のはこの一基だけであるが、今はない月輪古墳群の帆立貝形四基をふくめると五基となる。前述の月輪神社古墳にもその可能性がある。また森林公園内にある中山古墳群の一基（六号墳）は前方後円墳と考えて問題ないと思われるが発掘などでの確認はされていない。この墳丘の長さは約三〇メートルである。

なお、こまがた古墳の北には和田川をはさんで熊谷市の野原古墳群があり、野原古墳という前方後円墳からは、いわゆる「踊る埴輪」が出土している。口を開け片手を上げた姿勢から踊る埴輪と呼ばれたが、腰に鎌を差しており、いまは馬を引く馬子（馬飼）ではないかという説が有力である。

中山６号墳（1977年）

六　大谷遺跡

宮前小学校の校庭を拡張するときに調査された遺跡である。弥生時代後期と古墳時代前期の竪穴住居が発掘された。古墳時代の住居は中央に広場をおいて半円形に並んでいた。また火災に遭っていたので他集団との紛争で焼き討ちにあった可能性が指摘されている。

この調査の前の一九五一年に東京大学考古学研究室が古墳を調査したことがある。この時には、わたご塚古墳が発掘され胴張のある横穴式石室が発見された。この石室は部屋が二つある複室式のものであった。単室の石室

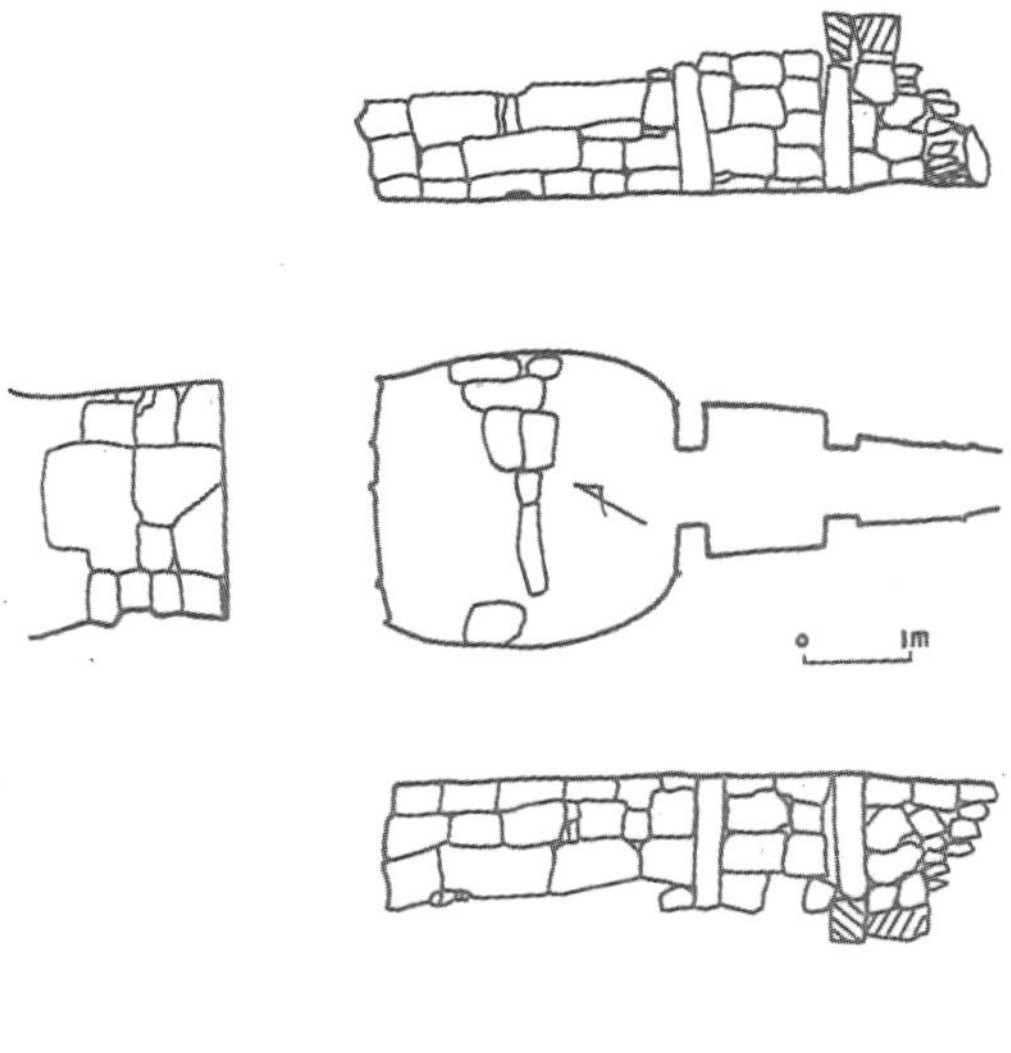

わたご塚古墳石室実測図（「滑川村史通史編」）

より有力な人物の墓であると考えられる。

年代は、七世紀前半であろう。今校庭になっている所にはわたご塚古墳以外にも古墳があった可能性が高く、ここから北にも古墳群が広がっていたと考えてよい。これを大谷古墳群というが、現在は、花気窯跡の上に金掘塚という古墳が残っているのみである。この東には、唐子古墳群があったが、唐子という地名から、渡来系の人びととの関連が考えられる。

七　寺谷廃寺

五厘沼窯跡の上の平端部、興長寺と平谷窯跡群の間に広がっていたと推定される古代寺院跡である。軒丸瓦は素弁八葉蓮華文という形式で、日本最古の寺である奈良県飛鳥寺の瓦に似ている。この瓦の特徴から七世紀前半のものとされている。瓦を焼いた平谷窯跡群の須恵器の年代からもそれが裏付けられる。酒井清治氏は、西暦六三〇年代ころと推定している。

酒井氏は、軒丸瓦の種類から三段階の変遷を設定し、第一段階前半は素弁八葉蓮華文の軒丸瓦（第一・二類）、後半は同第三類、第二段階は棒状子葉単弁蓮華文（第四類）、第三段階も棒状子葉単弁蓮華文（?）が使われたとした。第一段階は軒平瓦はなく、第二段階と第三段階の軒平瓦は三重弧文瓦としている。

私は、平谷窯跡二号窯から平瓦の端面に二本の沈線を引いたものを採集したことがある。これは、重弧文とは違うが、重弧文軒平瓦が出現する前段階の原重弧文かもしれないと考えている。また、平谷窯からは、平瓦の隅を切り落としたような瓦も出土しており、隅切り瓦だとす

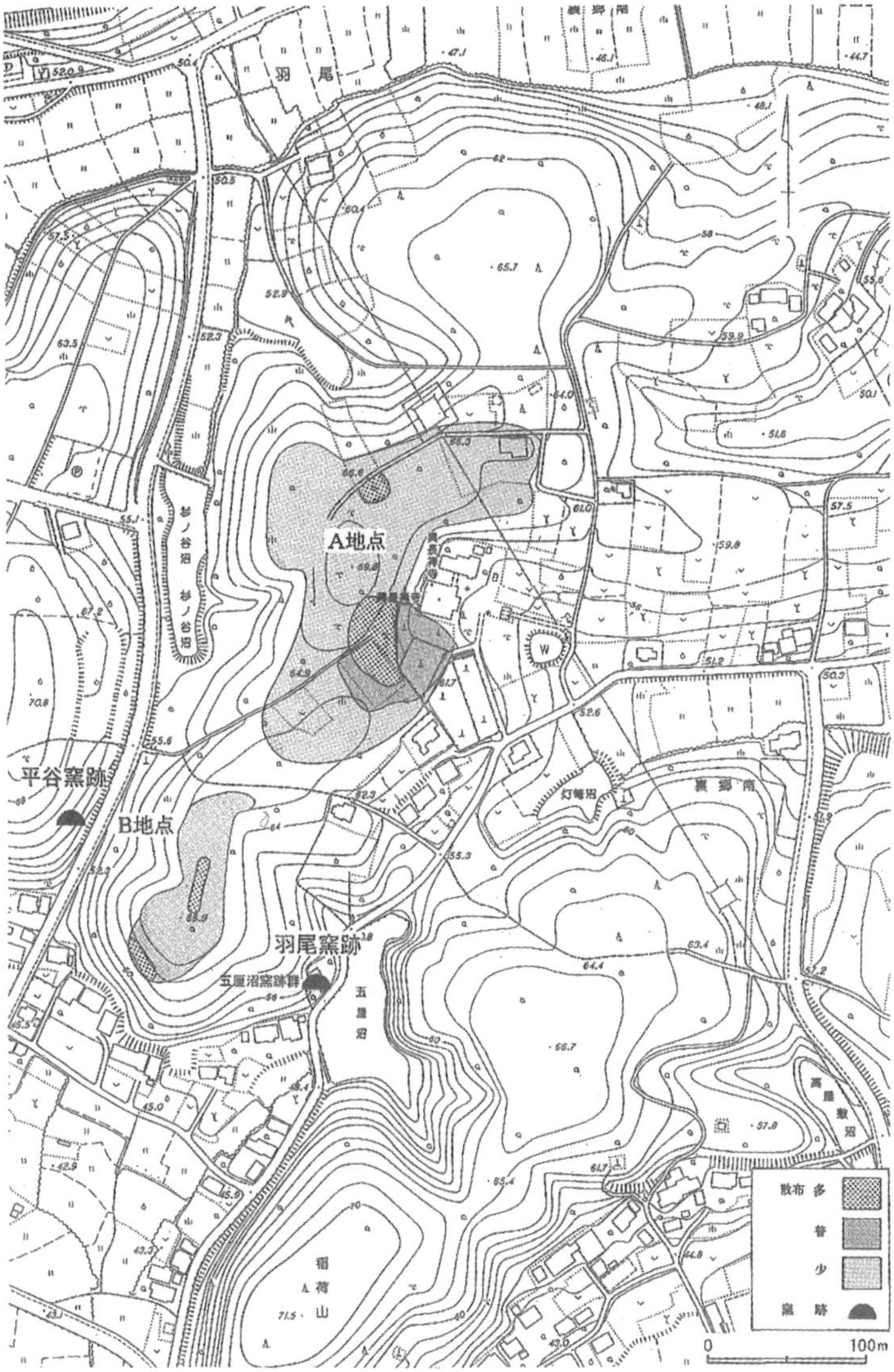

寺谷廃寺全体図（「寺谷廃寺・平谷窯跡Ⅰ」）

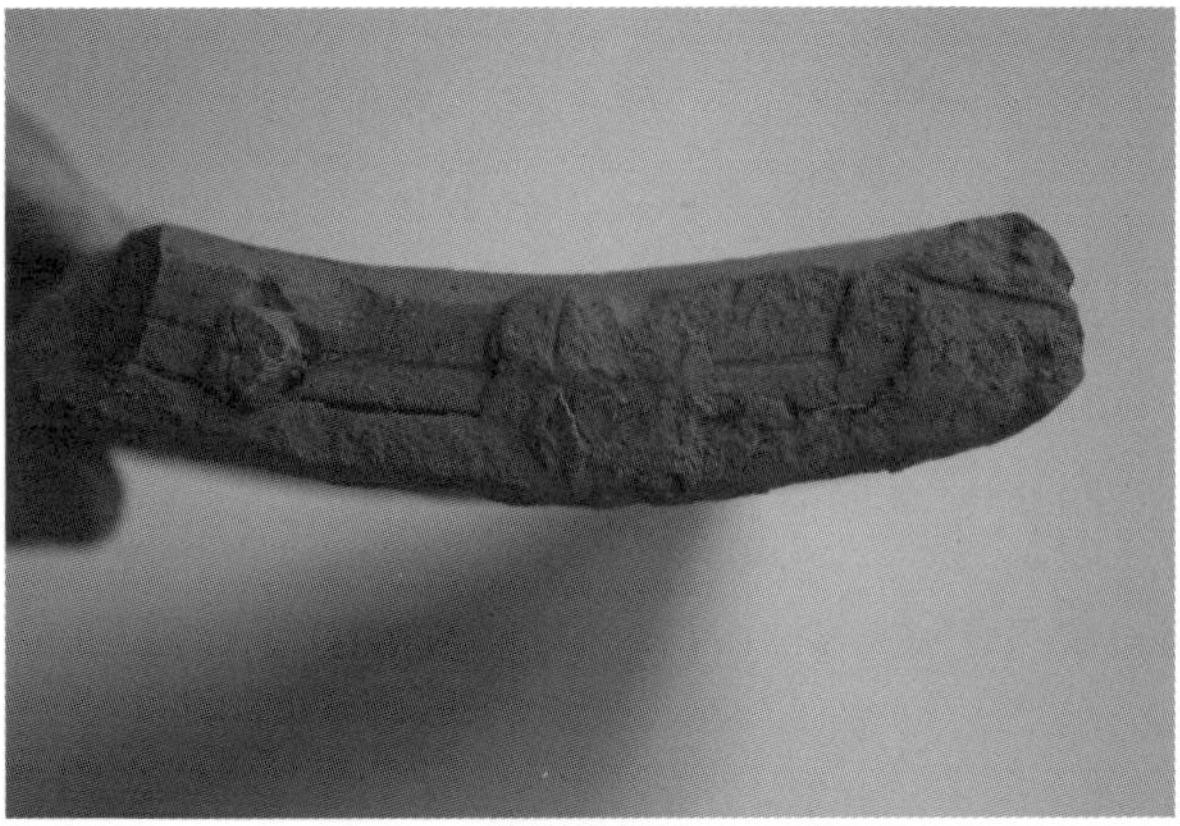

平谷沈線瓦

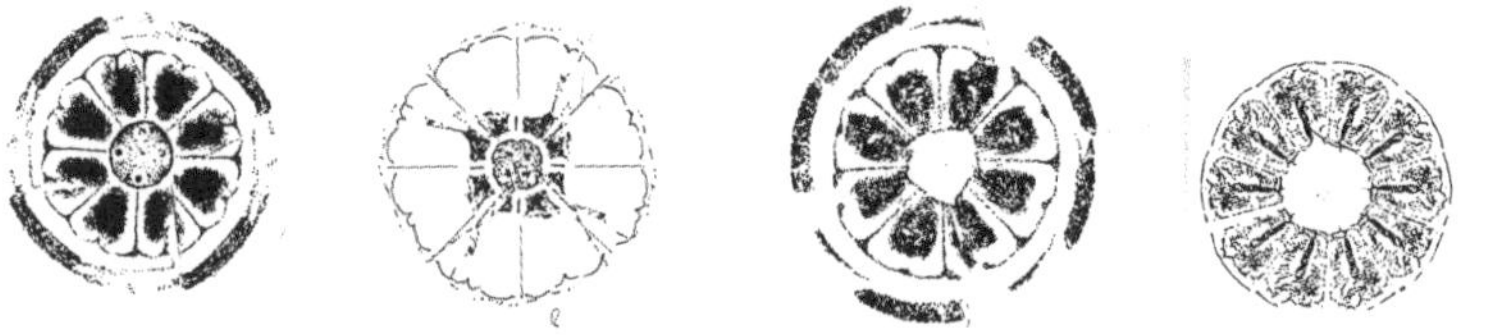

第１類　第２類　第３類　第４類

寺谷廃寺軒丸瓦復元図

れば、寄棟か入母屋の下り棟に使用された瓦の可能性が高い。今後の解明が待たれるものである。

瓦は平瓦一枚が縦約四十三センチ、横約三十四センチ、厚さ二から三センチあり、かなり重いことから、建物は沈下しないように礎石を使うのが普通であるが、今のところ礎石は見つかっていない。掘立柱の柱穴の底に礎板の石を置くような方式だったのかもしれない。丘陵上の平場は広くないので、平場ごとに建物が分散して建っていた可能性が高い。薄くて小さい瓦も見つかっているので、小規模な建物もあったことが想定される。瓦の中には青灰色の須恵質に焼けたものがある。これは須恵器を焼いていた工人が、新たに瓦を焼くよう求められたが、須恵器と同じように最後に窯を密閉し還元炎になってしまったためではないかと思われる。

この時代の瓦は、桶巻き作りといい、底のない桶を逆さに伏せたようなものに麻布をかぶせ、その周りに粘土を巻き付けて作り、後で円筒状のものを四分割して平瓦四枚とする方式で作られた。そのため、凹面には布目が付いている。そこで、こういう瓦は布目瓦と呼ばれている。

飛鳥寺の創建には、百済から瓦博士が来て瓦作りを指導したが、寺谷廃寺の瓦は飛鳥寺の瓦に似ているので、百済系とはいえるが、違いもある。飛鳥寺の軒丸瓦は蓮の花びらに当たる弁が十葉・十一葉・九葉がほとんどであるのに対して、寺谷廃寺の瓦は八葉である。したがって、飛鳥寺から瓦が伝えられたとはいえない。坂野和信氏は、渡来人を通じて朝鮮半島から直伝したのではないかと述べている（百済の瓦は八葉が基本である）。この点はまだ未解明である。

どのような勢力がこのような古い寺を建てたのか、歴史的な背景もよくわからない。森田悌氏・酒井清治氏は、聖徳太子の舎人であった物部直兄麻呂が六三三年に武蔵国造になっていることから、この兄麻呂が建立したのではないかと指摘している。横渟屯倉が置かれたと考えられる横見郡が近いので、新しい文化がいち早く流入する条件はあったと考えられる。文献に名前が残る人物としては物部兄麻呂は建立者である可能性は高いといえよう。

なお、私は『埼玉考古四八』まで、興長寺旧蔵の軒丸瓦は、死んだ犬を埋めるための穴を掘った時に甕・古銭とともに発見されたという話を紹介してきたが、実はこの瓦は前住職が旗本加藤家墓地の西側あたりで採集したことがわかった。一九六七から六八年ころという。いわゆるA地点で、場所には変更はない。A地点は平場が広く建物を建てるには適しているように見えるが、B地点は平場が少なく、窯が近いので工房か瓦の仮置場のような場所だったのかも知れない。

八　大堀西窯跡

町指定史跡

月輪の大堀館跡の西にある奈良時代の須恵器窯跡である。須恵器の年代は八世紀の前半から中頃と推定されている。窯の形態は斜面を利用した平窯であったが、保存のため今は埋め戻されている。また、粘土を採掘した跡も見つかっている。そばに弁天沼という小さな池がある。粘土と水に恵まれた環境だったと想像される。摘みの付いた坏蓋と高台のある坏が出土している。

また、今ゴルフ場（おおむらさきゴルフ倶楽部）になっている中尾の年中坂A遺跡からも、同様な須恵器窯跡が単独で見つかっている。時期も八世紀前半でほぼ同じである。この時期には、現在の鳩山町に大きな窯業地帯が

大堀西窯跡

あったが、このような単独窯もまれに作られたようである。

九　大沼遺跡

大沼遺跡は、国営武蔵丘陵森林公園中央口を入った所にある山田大沼の東にあった。サイクリング道路工事の前に発見された。一九七四年に開園した森林公園の歴史でただ一つ、正式に発掘された稀有な遺跡である。

奈良から平安時代の住居跡などが発見されたが、特徴のある遺物が出土している。すなわち、権・兵庫鎖・小型瓦・転用硯などである。権とは、棹秤に使う錘で、石製である。棹に紐で下げるための穴があいている。兵庫鎖は、鐙その他武具類に使う鉄の鎖である。小型瓦は通常の瓦の八分の一くらいの小さな瓦で、小規模な仏堂のようなものが建っていたのではないかと推定される。また、権には線刻の文字があり、

権（錘）（「大沼遺跡」）

「真成」「郷長」などと解読された。郷長で間違いなければこの遺跡は、郡の下の行政組織である郷の役所または郷長の住居の可能性もある。兵庫鎖が馬具の一部とすれば、馬に乗れる身分の人物が想定され、また、馬を飼う牧場のような役割の施設があった場合も考えられる。転用硯は土器の底の破片を硯にしたもので、文字を書く人物が住んでいたことを物語る。

山田大沼の北西側からは、通常の大きさの布目瓦（縄目叩き）も採集されている（弁才天遺跡）。都市緑化植物園の南から大沼の周囲には、八世紀から九世紀ころの遺跡がほかにも存在していることが分かっており、寺や小仏堂をもった特別な区域と考えることができる。この地が比企郡と男衾郡

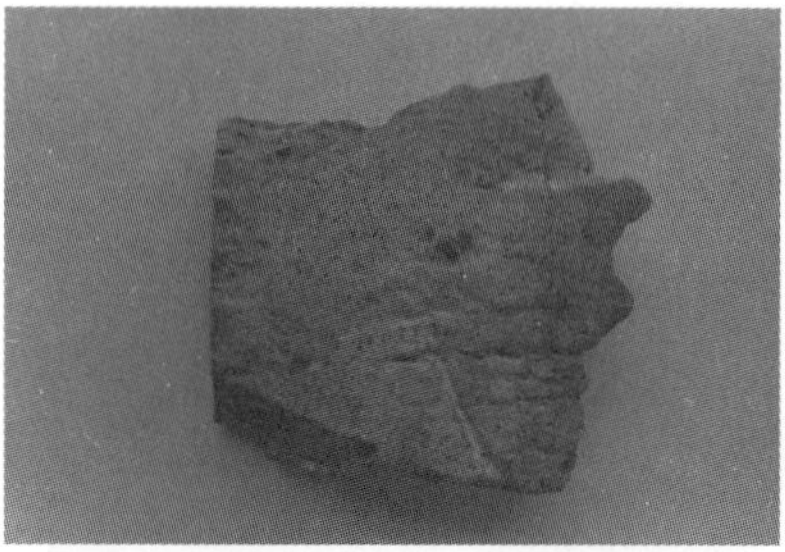

弁才天遺跡の瓦（表・裏）

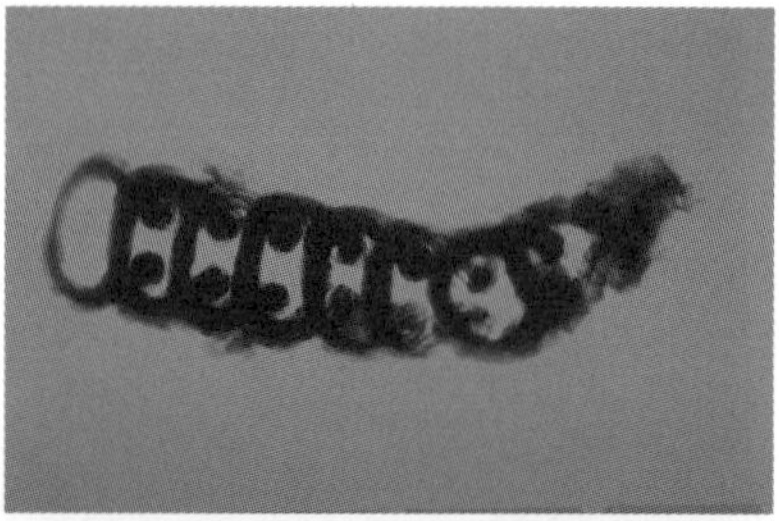

写真上）兵庫鎖Ｘ線写真
写真下）小型瓦（「大沼遺跡」）

のどちらに属していたかを考えるにも手掛かりとなる、極めて貴重な遺跡だったのである。

なお、武蔵丘陵森林公園には鎌倉街道と山田城の案内の二つ以外には、歴史的な案内・解説は全くない。しかし、古墳群・塚・集落跡など多くの遺跡がある。文化財は国民共有の財産であり、もっと周知の努力をすべきであると考える。

大沼遺跡と同様に、仏教関連の遺物を出土した遺跡が、町内には他にもある。現在ゴルフコース（おおむらさきゴルフ倶楽部）になっている中尾遺跡（中尾字笊山）・用土庵B遺跡と、最近発掘された羽尾堀ノ内Ⅰ遺跡である。この三つの遺跡からは、瓦塔の破片が出ている。瓦塔とは、五重塔を素焼きの土製品で組み立てたものである。高さは一メートル前後のものが多い。中尾遺跡の瓦塔は

国営武蔵丘陵森林公園内出土瓦
（表・裏）

復元されて、今おおむらさきゴルフ倶楽部のクラブハウスに展示されている。また、ゴルフコース内の柳沢A遺跡からは、四面廂付きの二間×三間の掘立柱建物跡と、廂のない二間×三間の掘立柱建物跡が見つかっている。仏堂のような建物があった可能性が高い。

大沼遺跡を含めて、山田大沼の周囲にも同じような集落が広がっていた景観が復元できそうである。

中尾遺跡の瓦塔

一〇　泉福寺と三門館跡

泉福寺

和泉にある泉福寺は国指定重要文化財の阿弥陀如来坐像と県指定の観音・勢至菩薩立像で知られている。鎌倉幕府の歴史を書いた『吾妻鑑』の建久四年（一一九三）二月十日の記事に、

「毛呂太郎季綱蒙勧賞武蔵国泉勝田御閑居于豆州之時下部等有不堪事牢籠于季綱辺季綱殊成恐惶之思加扶持送進豆州之間単孤之今此労者可必報謝之由被思食云々」という文章がある。頼朝が伊豆に流されていたころ、部下が困窮していたのを毛呂季綱が助けたことがあったので、いつか必ずこの労には報いなければならないと考えていた。そこで建久四年になって泉と勝

田の地が頼朝から季綱に与えられたというのである。この地名の場所は、滑川町和泉と嵐山町勝田と考えてよいだろう。このようなことから、泉福寺も毛呂氏と関係があるものと想定できる。

また、『吾妻鏡』正治二年（一二〇〇）二月二六日の項に、「泉次郎季綱」という名がみえ、これは季綱が和泉・勝田を領したことにより、泉季綱とも称したことを表していると考えられる。泉福寺の阿弥陀如来は江戸時代に修理したとき、体内から墨書銘が発見された。その銘文は、

「建長六年大歳甲寅五月七日執筆成永
奉修覆泉福寺等身阿弥陀如来像一体
　同観音勢至菩薩像各一体
右志者先考幽妣聖霊滅罪生善
往生極楽兼大施主等為現生安穏
後生浄土所奉修覆如件
　大檀那沙弥西願同御芳縁源氏
所生君達　　院主阿乗坊阿闍梨
　　　　　　仏子定生房

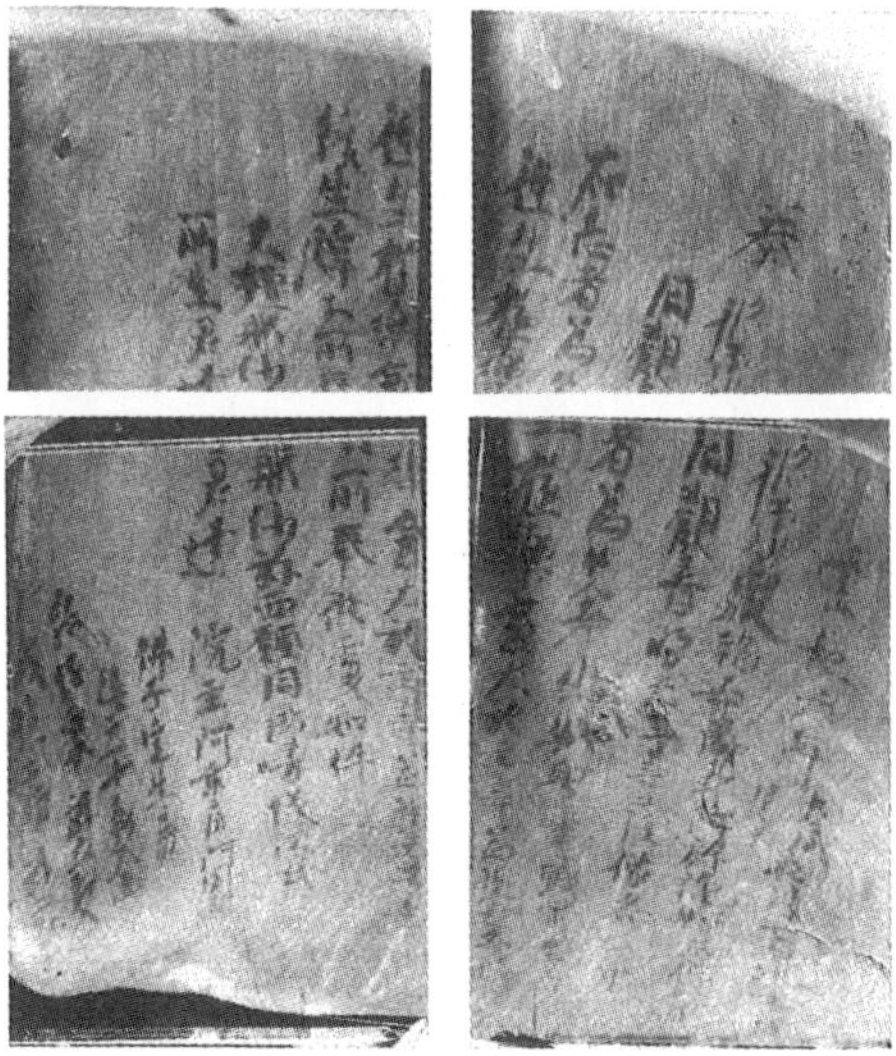

体内の墨書銘（「埼玉県史資料編 9」）

漆工十郎入道
結縁衆弥五郎入道
成律房弥二郎入道」

というものである。

施主の西願とその妻・子供たちが、西願の両親の菩提と、自分たちの現生安穏・後生浄土を願ったことが書かれている。西願は関東各地で同様な作善を行った人物であることが知られている。

建長六年は一二五四年であるから、泉福寺は鎌倉時代前期には存在したことがわかる。

また、墓地には鎌倉時代の板碑がいくつか残っているが、そのうち大形の一基には次のような銘文がある。上下が欠けていて全体は読めないが、泉福寺の歴史について重要な情報を提供している。

「竊以関白清慎公実於六代孫…
右…
丁亥弘安第十暦□月二十日…

阿弥陀三尊像（滑川町教育委員会提供）

泉福寺塔心礎

泉福寺板碑群

爰総伝字代々祖廟青節□□提作善…」

為…

弘安十年は一二八七年で阿弥陀像の修理から三三年後に当たる。毛呂氏が泉・勝田を与えられてから九四年後であるが、泉福寺は毛呂氏の手で代々丁重に保護されてきたことがうかがわれるのではなかろうか。関白清慎公とは、藤原実頼（九〇〇〜九七〇）のことと考えることができる。そうすると、実頼の六代後の人物からの系譜を引く毛呂氏が代々この地を守ってきたことを表現しているものと推定できるのである。なお、『滑川村史』では元弘三年と解読しているが、これは誤りで干支も合っていない。

ところで、寺の東には三門という地名があり、三門館跡と呼ばれる遺跡がある。ミカドとは高貴な人物が住んだ場所という意味が込められていると考えるのが自然である。小川町の大梅寺は後深草院第三皇子梅皇子の創建と伝え、その周囲には御門（帝）という地名がある。またこれと同様な背景が考えられる例として、次の二つがある。

吉見町御所は源範頼の館跡による地名といわれ、嵐山町の源義賢が住んだという大蔵館跡の小字は御所ケ谷戸である。ミカドやゴショという地名は貴種の人物やその屋敷を指したものといえる。

三門館跡にも西端にゴショ天神という小祠がある。毛呂氏は、藤原氏の後裔であることから、御家人の中でも特に頼朝からの信頼が厚かった。季綱の父の季光は頼朝の推薦により豊後守になったことが『吾妻鏡』に書かれている。そこで三門館は毛呂季綱（またはその代官）が、泉・勝田の支配のため住んだと考えてよい。また、三門館跡の周辺から出土した板碑には、文字の部分に金箔または金泥の認められるものが二例ある。町内ではこの二例のみで、嵐山町でも菅谷館跡から出土した七点のみであり、金箔は一部の人びとしか使えなかったと考えられる。三門館の住人の優位性がうかがわれるのである。

現状では、三門館跡は、西と北に明確な土塁と空堀が残るのみであるが、北東には池田と呼ばれる深い堀があったことが分かっている。また、古老の話では、東方にも土塁と空堀があったという。空堀の痕跡は今でも確認できる。南側には堀があったと地元では伝えられている。つまり、谷を東西両側から囲むような土塁と空堀を設けた、二〇〇メートル四方の館跡と判断できる。

一九一三年に書かれた『福田村郷土誌』には、「三門城址」に門址・門の柱石が残り、郭内には馬場・陣場の址があるとの記述がある。さらに注目されるのは、「西北隅に池の痕跡あり」という一文である。三門館跡と泉福寺の間の谷は、現在は水田であるが、ここには礎石といわ

三門館跡（写真中央）

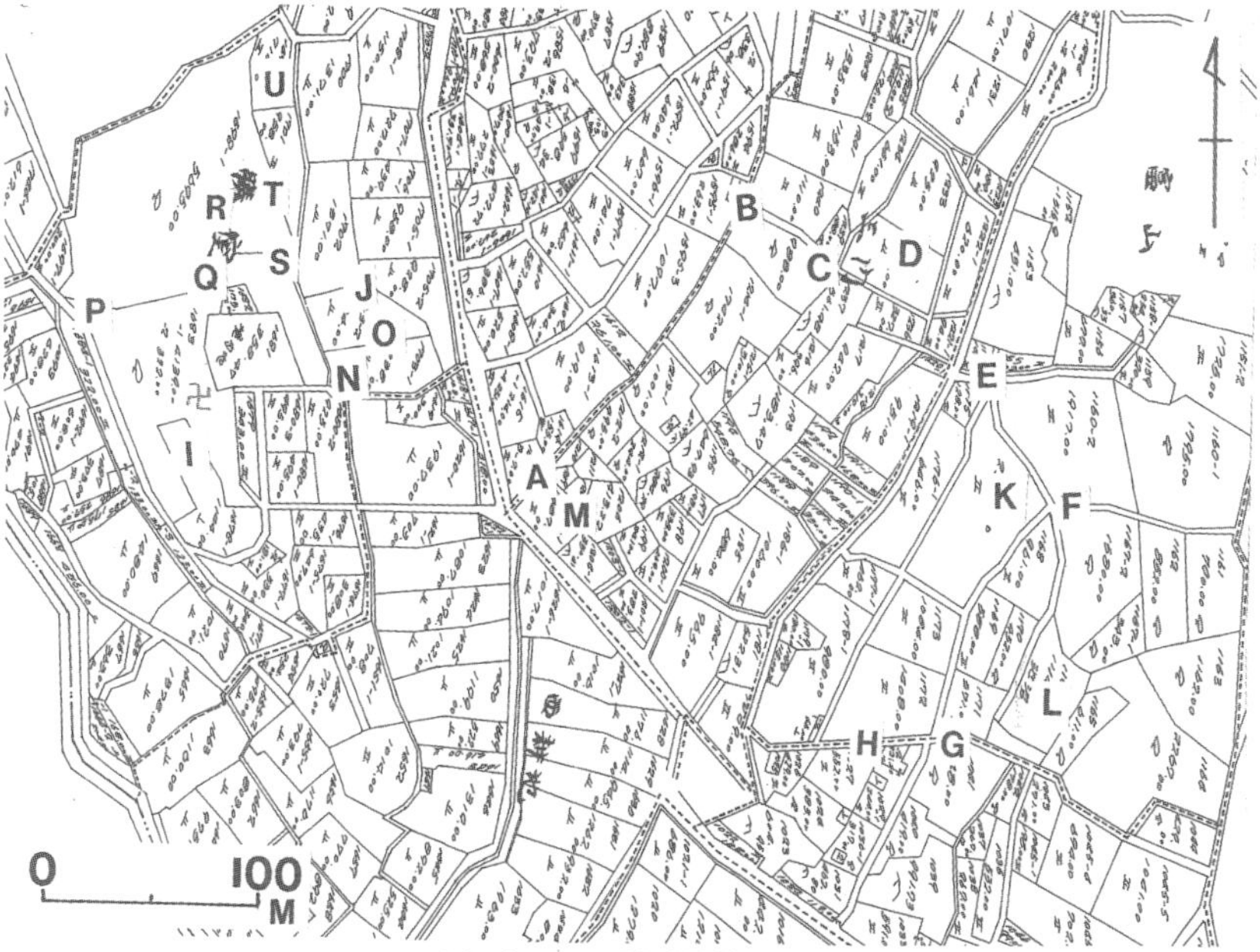

泉福寺・三門館跡地籍図

ABC・EFGH：土塁・空堀　　D：池田（堀）
K：的場　　L：陣場沼　　M：ゴショ天神
I：弘安板碑　　J：礎石元の位置
N：礎石移動後の位置　　O：池跡？
PQ・RS：土塁・空堀　　T：平場　　U：中世墓地

れる石があった。元は水田の中にあったが、その後、水田の片隅に移動された。今は阿弥陀三尊像の収蔵庫の脇に置かれている。一メートル×一・二メートルで厚さ六〇センチ、中央に直径三〇センチ・深さ二七センチの穴がある。私はこれを塔心礎と考えている。地元の伝承に寺には三重塔があったという話がある。古い地籍図を見ると、周りの水田がほぼ長方形なのに、礎石のあったこの部分だけ細長い六角形に近い変則的な形である。『福田村郷土誌』のいう池の痕跡とは、この部分を指していると思うのである。四〇メートル×五〇メートルほどの規模である。以上をまとめると、この池跡は浄土庭園の遺跡なのではないかということである。

中世の武士は、京都宇治の平等院や奥州平泉の毛越寺のような、阿弥陀堂の前に池を配置した浄土庭園にあこがれていた。つまり、東国の武士たちも、館の西に池と阿弥陀堂を配置した庭園を造ったのである。頼朝も平泉を見て、鎌倉に永福寺を造営した。埼玉県でも実例があり、東松山市正法寺（弁天池と阿弥陀堂）・嵐山町平沢の平沢寺・ときがわ町玉川の龍福寺に浄土庭園が存在したことが推定できる。鎌倉時代の武士は、館・氏寺・浄土庭園・氏神などを持つことを誇りとしたのであろう。

泉福寺の場合を整理すると、三門館の西に浄土庭園があり、池のほとり又は池の中島に三重塔が建ち、その西方に阿弥陀堂があるという景観が復元できるのではないか。泉福寺の現在の本堂の北方約一〇〇メートルほどの山すそから、板碑が約二〇基分発見されている。板碑の年代は、康永二年（一三四三）から康正三年（一四五七）までに及ぶ。ここに毛呂一族の墓地があったと考えることができる。少なくとも一五世紀後半ころまでは毛呂氏がこの地域を支配していたと言えるのではないだろうか。また三門館跡の北方にある八宮神社は氏神とみてよい。

なお、地元出身の齋藤喜久江・齋藤和枝氏は、三門館跡は比企遠宗の館跡であったとの説を出している。私は、上記したような事実から、毛呂氏の館跡であることは間違いないと考えるが、この地が毛呂氏に与えられる以前に比企氏の領地だった可能性がないとは言い切れない。

中世寺院には、巴文・剣頭文など特有の軒瓦がみられることが多いが、泉福寺ではいまのところ見つかっていない。また、中世の陶磁器の破片も見られない。この点は今後の課題であるが、屋根が板葺きや檜皮葺だった場合は瓦が発見されなくても問題ないわけで、その可能性もあるだろう。さらに調査が進むことを期待したい。

なお、泉福寺墓地の片隅に、寺子屋師匠寺山啓の墓がある。銘は次のとおりである。

「（正）寺山翁之墓

（左）

翁諱啓姓寺山氏武州埼玉郡中里郵高木氏之産也幼而

有志於仏門矣幡羅郡上之郵一乗院主乾弘長師剃髪号
弘洲研究又有年矣嘉永戊申転住於泉福寺廿余歳徒隠
居於円福寺而後方維新之際有故為復飾也有弟子曰弘
浄住於泉福寺□世翁性温厚閭里子弟執贄入門者庶頗
多矣雖然不幸而明治十二年十二月念五日罹病没距生
文化二年乙丑十一月一日得寿七十又四庚辰春門人等
胥謀欲勤翁之行実於石以伝諸不朽軒掲其顛末耳
（右）
養嗣　寺山永明
孝孫　同　金吾」（一八八〇年）

右により、明治維新の際に僧から還俗して教育にあたったことが分かる。

寺山翁の墓

二　板碑

板碑とは、一三世紀から一六世紀まで作られた供養塔または墓塔である。武蔵国では下里石（比企郡小川町）など緑泥石片岩を用いたので、板石塔婆とか青石塔婆と呼ばれることもある。高さ三〇センチから五メートルくらいまで、大小があるが、七〇センチ前後のものが多い。日本最古の板碑は熊谷市須賀広の嘉禄三年（一二二七）のものである。比企郡周辺は板碑が密集し、板碑発生の地と推定される。

一番上を三角（山形）に尖らせ、その下に二条の横線を彫るのが板碑の特徴である。板碑には中央上部に、蓮華座に乗った阿弥陀如来などの仏を梵字で示したものが一般的である。その下に、年月日・願文・施主名などが刻まれ、同時に光明真言などの真言・仏典から抜粋した偈などが表現されることもある。

滑川町最古の板碑は、福田馬頭観音堂の裏に立つ建長三年（一二五一）のものである。下半分が欠けていて、「建長第三辛亥十月日」以下の銘文はわからない。成安寺の伝承では高野聖

滑川町最大の板碑

福田馬頭観音裏にある建長板碑

が帰る前に立てたというが、この付近の有力者が造立したと考えるのが自然であろう。現状は、高さ約一・七メール、幅七五センチの重厚なものである。

この板碑の隣に、康安（一三六一―六二）または康永（一三四二―四五）の大きな板碑がある。これは近くの中堀の橋に使われていたものを移設したものである。高さ約三・三メールで、滑川町最大の板碑である。銘文は摩滅してよくわからないが、天蓋・花瓶は見える。

板碑の起源には諸説あるが、今は木製板碑（長足塔婆）が発見されて、それが起源と思われるが、その元になったのは五輪塔であると言えるようである。

埼玉県には二万基から三万基、関東では五万基あると推測されているが、一四世紀中頃と一五世紀末に造立のピークがあったことが分かっている。滑川町でも一四世紀後半のものがいちばん多い。政情が不安定な時期に多いといえるようである。古文書の少ない中世研究には重要な遺物である。滑川町には約二六〇基の板碑がある。個人の屋敷内や墓地にあることも多く、未確認のものも少なくないと思われる。

石材となる緑泥石片岩は小川町下里から採取され、その場で概形までの加工をしたことが近年に確認され、下里・青山板碑製作遺跡として国の史跡に指定された。福田字南在家には山形・二条線はあるが、種字（本尊）・年号・銘文などが全くない未成品かと思われるものが一基存在する。使う予定であったが、何らかの事情で使用されなかったものかも知れないが、真相はわからない。

板碑の下から蔵骨器が掘り出されることもあり、この場合は墓標として立てられたと考えてよいだろう。羽尾字東金光地の元応二年（一三二〇）の板碑の下から蔵骨器が出たというが、今その蔵骨器は残っていない。小さな塚の上に立っていた場合も想定され、羽尾城の東

板碑未成品か

にはそのような塚が数基ある。中世の墓地があったのであろう。偈の中には例の少ないものが発見されることがあるが、山田字山王の共同墓地には、埼玉県で数例しかない珍しい偈が認められる。それは、

「迷故三界城　悟故十方空　本来無東西　何処有南北」

というものである。一九八一年の時点で県内で他に二例のみである。ただ、残念ながら上下が欠失した破片となっている。永正一二年（一五一五）のものである。

福田字南在家には、同一の台座に二つの板碑が並んで立っている例もある。貞治五年（一三六六）と永徳二年（一三八二）のもので、夫婦のものかも知れない。福田字湯谷にある町指定の文永八年（一二七一）板碑は、長年下向

一台石に並ぶ板碑

湯谷文永板碑

きに倒れていたため、表面が風化せず阿弥陀三尊の梵字がはっきりしている。福田観音堂裏の建長板碑と同様に、三尊には蓮座がなく、初期板碑の特徴を表している。蓮座がない板碑は明確なものは町内ではこの二例のみである。

小川町には二連（双式）板碑という、一枚の石に二枚分の板碑を刻んだものが多い。滑川町には、この双式板碑が水房の放光寺に一つある。この例では、上部が三角の山形にはなっておらず、平らに仕上げてある。銘文は摩滅してほとんど読めないが、わずかに「唯道」・「逆修」の文字が見える。逆修とは生きているうちに死後の菩提のため仏事を修するものである。逆修の例は少なくなく、中世人の信仰の特徴のひとつである。

月輪の勢至堂のそばに、正応二年（一二八九）銘の大きな板碑が立っている。二つに割れたものをつないでいるが、高さ約二・六メートルの町では二番目

福正寺トラゴ石

の大きさである。この板碑は、かつては関越自動車道と東上線が交差する辺りの堀の橋として利用されていたという。元は近くの台地上に中世墓地があった可能性がある。またこの板碑には「トラゴ石」と呼ばれていたということが伝えられている。『武蔵国郡村誌』には「虎子塚」というものが載っている。本来は、この塚の上に立っていたのかもしれない。これは、虎御石（寅子石）と呼ばれるもので、全国にあることが分かっている。源頼朝が催した富士の巻き狩りでの敵討ちで知られた曾我兄弟の兄、曾我十郎祐成の愛人であった虎御前が、祐成を供養するために石を立てた、または虎御前本人の墓であるという伝承がある。

　埼玉県内にもトラゴ石が数例ある。すなわ

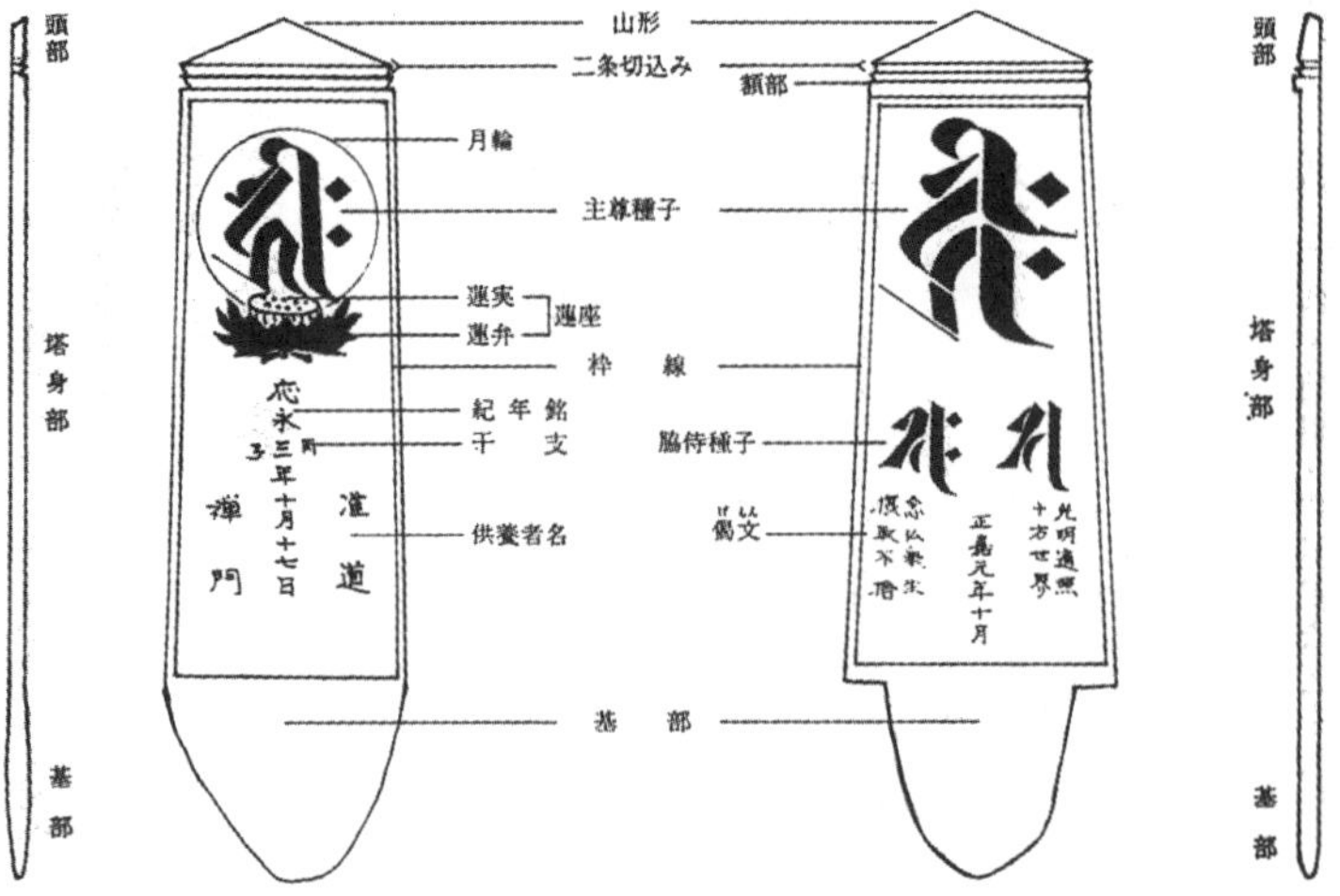

板石塔婆各部分の名称（『滑川村史通史編』より転載）

ち、蓮田市馬込辻谷共同墓地の延慶四年（一三一一）・さいたま市見沼区深作宝積寺の貞和三年（一三四七）・上尾市原市相頓寺（年不明）・東松山市石橋青鳥城の応安二年（一三六九）・ときがわ町玉川龍福寺の康永三年（一三四四）と年不明、以上の五か所六基である。月輪の例を含めると、六か所七基あるということになる。私は、熊野信仰を広めた熊野比丘尼（勧進比丘尼）たちが説教や修法を行うときに、大きな板碑の前に人々を集めて、その板碑を虎御前の墓であると説いたので、トラゴ石という伝承が各地にできたと考えている。

この正応二年の板碑のそばに、小さな板碑が立っているが、これは天文一二年（一五四三）のもので、町では最も新しい年号の板碑である。

建長板碑・二連板碑・湯谷の文永板碑の三点は、町指定考古資料である。

一二　伊古神社

伊古神社は比企郡で唯一の式内社である。式内社とは、『延喜式』に名前が載っている神社ということである。『新編武蔵風土記稿』には淡州明神ともいうと書いてある。九二七年の『延喜式』神名帳には、「伊古之速御玉比売神社」と記載されている。平安時代初めには存在し、国家から幣帛を受けた神社であることがわかる。元は二ノ宮山の頂上にあったものを現在地に移転したという話が伝わっている。根拠となるものが明確でないので判断は困難であるが、私は元から今の位置にあったと考えている。古代の信仰は形の良い山を麓から拝するものであって、奈良県の三輪山のように山自体が神体とされることが多かったようで

伊古神社拝殿

ある。円錐形または笠形の山は、美しい山容から神奈備山と呼ばれ神の宿る山とされたのである。

伊古という言葉は地名からきていると思われるが、速御玉比売は女神（姫）のことである。御は敬称であるから、速玉が本来の名前に当たる。熊野三山の一つに熊野速玉神社がある。そこで私は、速玉は急峻な岩山から水が速く流れ落ちる様子を表したものと考える。このような次第で、イコという地名も、いかつい岩山の地形からイカ（厳）↓イコとなったと考えている。

『和名類聚抄』という一〇世紀前半の辞書に、全国の郡・郷の名前が出ている。比企郡には郡家・渭後・都家・鹹瀬の四郷があった。この渭後（ぬのしり）郷の文字を音読みして伊古という地名ができたとする説もあるがやや無理があり、可能性は低いと思う。

伊古神社の鳥居をくぐり階段を上ると、途中の平端部に「はらみ松」と呼ばれる松がある。今は枯れて途中から伐られているが、根元のふくらんだ部分は残っている。安産祈願の対象となっている。拝殿の前から左を見ると、雨乞いの碑がある。これは福田の俳人である竹二坊が、文政四年（一八二一）の干ばつの時によんだ和歌が刻まれているものである。その文字は、

「文政三とせの冬より四とせの夏まで雨のふらざりければ六月の望によみて奉ける　藤原周之
雨乞の歎をよそに御玉比売情を知らバ神衣手ぬらせ」

である。碑の裏には次のような文章が刻まれている。

「先生諱周之姓藤原権田氏称玄宅武州福田村人
以医仕於藤堂侯嘗従清水浜臣攻国学傍能作歌号
竹二坊又善書且嫺茶儀侯賜五道庵号云文政四年
旱先生咏歌祈之本社神感応立降雨郷人大喜言
神徳之着実出於先生至誠乃書其歌掲之于社殿
予恐其久漫滅因記其由碑之且贅蕪辞一首附驥尾

伊古の里にしづまりませる御社は弓矢の神の御親なりけり
七十八翁早川祐寛識
慶応三年丁卯夏六月
奥野直道書」（慶応三年は一八六七年）

この南、階段を上る途中の左、井戸の上には、芭蕉句碑がある。これは地元の竹二坊の弟子たちが立てたもので、「春もややけしきととのふ月と梅　芭蕉翁」とある。裏面は、

伊古神社雨乞の碑

伊古神社芭蕉句碑

伊古神社はらみ松

「天保十一庚子年冬至日　青二　川二　梅嶺　梅美　遊之　如鏡　牛歌」で、天保一一年は一八四〇年、七人の号は竹二坊の弟子すじの人びとであろう。

『埼玉俳諧人名辞典』によると、遊子は伊子村の江森源輔（福教）のことという。牛歌は、福田の栗原次郎兵衛のことで、『奥羽紀行』の著者である。『奥羽紀行』は文政八年（一八二五）の著作で、『栗原家文書』に収録され、『広報なめがわ』に註解付きで連載されたことがある（五六号から七七号）。他の人物については不明である。

境内の西側には、八幡神社がある。これは元は水田のある谷をはさんで南側の山すそにあったようだ。弓道の的を示した額が奉納してある。風化していて文字はほとんど読めないが、かすかに「矢沢流笠（笹？）原尹里先生門人」の文字が見える。武術の神として信仰されたのであろう。付近には的場という地名もあり、弓に関連する行事が行われていた名残りであろう。

伊古神社には、勝海舟が村民から依頼されて書いた幟がある。長さ約一一メートルの大きなものである。明治一四年（一八八一）のもので、伊古之速御玉比売神社と書かれている。

勝海舟幟は町指定書跡、境内社叢は県指定天然記念物である。

拝殿にある社号額は「速御玉比売神社　関東　亀田興薫沐拝書」とあり、江戸後期の儒学者である亀田鵬斎の書である。

勝海舟の幟（小林武久氏提供）

伊古神社題額（亀田鵬斎筆）

一三　生首八幡

生首八幡とは珍しい名前である。現在は移転して土塩字中耕地にあるが、元は森林公園の山林の中にあった。元の場所は土塩から南に長坂という坂道を五〇〇メートルほど上った頂上付近であった。森林公園内の大沼・蓮沼の西である。少し南には生頭という地名もある。何か深いいわれのありそうな社である。

生首八幡には、「昔は山賊が出て通る人の首を斬りそれを埋めていた」とか、「下に地獄谷という谷があって、上の道で罪人の首を切って谷へ落した。付近に塚がありそれが罪人の骨を埋めた所だ」という伝説がある。また、下の蓮沼（南かべ沼）には、上で首を切っては落としたので水が赤くなり、血沼とも言ったという話もある。生首八幡のあった場所のそばに塚が一基、南に四〇〇メートルの所には塚が八基集まっている。この塚群の東の谷を生頭という。渓流広場の奥あたりである。

そこで注目されるのが、『鎌倉大草紙』の村岡合戦の記事である。永享一二年（一四四〇）

七月四日のことである。原文は、

「伊予守是を見て、すはや敵ハ引けるぞや、いずく迄も追かけて討とれ、者共とて、荒河を馳渡し、村岡河原に打上る、…性順・景仲ハ一手に成て、魚鱗に連て、荒手を先にたて、蜘手・十文字に掛破りしかバ、伊予守忽に打負、一返しも返さず、手負をも助けんともせず、親子の討るるをも不顧、物具を捨て、小江山まて引退く、夫より散々に成て落行ける」

である。

これは、結城合戦に関連した戦いで、結城方の一色伊予守軍と、幕府・関東管領方の上杉・長尾軍が、村岡河原で戦った様子を述べている。ここで敗れた一色伊予守軍の兵士たちが逃げ込んだ小

生首八幡

江山というのがどこなのか昔から議論されている。『埼玉県誌上巻』（一九一二）は、小江川と追山の二つを候補にあげている。『滑川村史』では、熊谷市小江川にはオエヤマという地名はなく、滑川町山田字追山が小江山にふさわしいと指摘している。私も同感で、オエヤマ＝オイヤマであると考えている。追山のすぐ北東に接して東松山市大谷字追イという地名があり、傍証となる。

以上のことを総合すると、落ち武者が逃げ込んできたことと、そこで死亡や自決したことが想定され、付近の住民が遺体を塚に埋葬し供養のため八幡社を祀ったことが推定できるのである。

塚群

一四　浅間神社と鰐口

森林公園西口の向かい側に見える小高い丘の上に浅間神社はある。丘のふもとにある解説板には、

「久寿二（一一五五）年帯刀先生源義賢が菅谷大蔵館で鎌倉悪源太義平に殺害され、その時義賢の家臣数人がこの辺りに落ちのびて土着、その子孫が天福年中に義賢の霊を祀った」

と書いてある。

このことは、『新編武蔵風土記稿』比企郡瀬戸村旧家者丈右衛門・馬場村旧家者三右衛門・田中村旧家者東吉の項にも見える。要約すると、源義賢が大蔵で討たれたとき、家臣八人が周辺に落ちのび、この子孫のうちの一人が福田郷に浅間社を、他の人びとが平郷（現比企郡ときがわ町）に山王社を祀ったというのである。またこの人たちは山王社で流鏑馬を始めたと伝える。現在の萩日吉神社の流鏑馬である。今、萩日吉神社の流鏑馬の解説板を見ると、明覚郷の荻窪・馬場・市川と大河郷（小川町）の横川・加藤・伊藤・小林の各氏が流鏑馬を執行していると述

浅間神社と池

べている。『滑川村史』には大正のころまで、福田の関係者は来賓として流鏑馬に出席したと記述している。

なお、源義賢の子は木曽義仲であるが、義仲が近江粟津で討ち死にしたとき、実は側室の元に忘れ形見がおり、この人物が義賢の旧臣子孫が武蔵国慈光寺の近くにいることを知り、彼らを頼って比企郡に来たという伝説がある。こうして源義仲の子孫は絶えることなく比企郡で続いていたという話が成立する。民間伝承としては興味深いが、史実かどうかは判断が難しい。

敗戦直後の一九四五年か四六年ころ、浅間神社拝殿の脇から鰐口が掘り出された。地下約一五センチからという。鰐口の直径は約二〇センチである。銘が刻まれているが非常に読みにくいものである。現在は次の通り解読されている。

浅間神社鰐口

「奉納武州比企郡福田郷阿牙洲大明神鰐一口
　宝徳二年庚午十二月下旬資平敬白世見之」（宝徳二年は一四五〇年）

阿牙洲大明神とは、牙＝歯であるから、淡洲神社のことと推定できる。淡洲神社は滑川町周辺に八社あるが、浅間神社の西約六〇〇メートルの所に所在する淡洲神社のことと考えるのが無理がない。しかし、隣の神社の鰐口がなぜ浅間神社に移されたのかが謎である。また「世見之」という最後の三文字がどういう意味なのかもよくわからない。この鰐口が源義賢の旧臣の子孫に関係あるのかも知れないが、二〇〇年以上を隔てており、不明というほかない。なお、福田郷という地名の初見がこの宝徳二年となっている。

浅間神社の本殿と拝殿の間に池があり一年中水が涸れない。浅間山は平地から一五メートルの比高があり、ほぼ全山岩山であるが池の水がなくならないのは地下から湧き出ていると考えるのが自然であろう。近くに福田鉱泉があり、地下水脈などに何か関係があるかも知れない。

鰐口は町指定歴史資料である。また、山の中腹には、天狗の足跡と呼ばれる足形の窪みがある。

ちなみに、淡洲神社は、水房・太郎丸・伊古・勝田・福田・山田・土塩に所在しており、水房荘の伝えと信仰圏の点から、これに中尾を含めた範囲が、中世の水房荘（荘園）であった可能性がある。

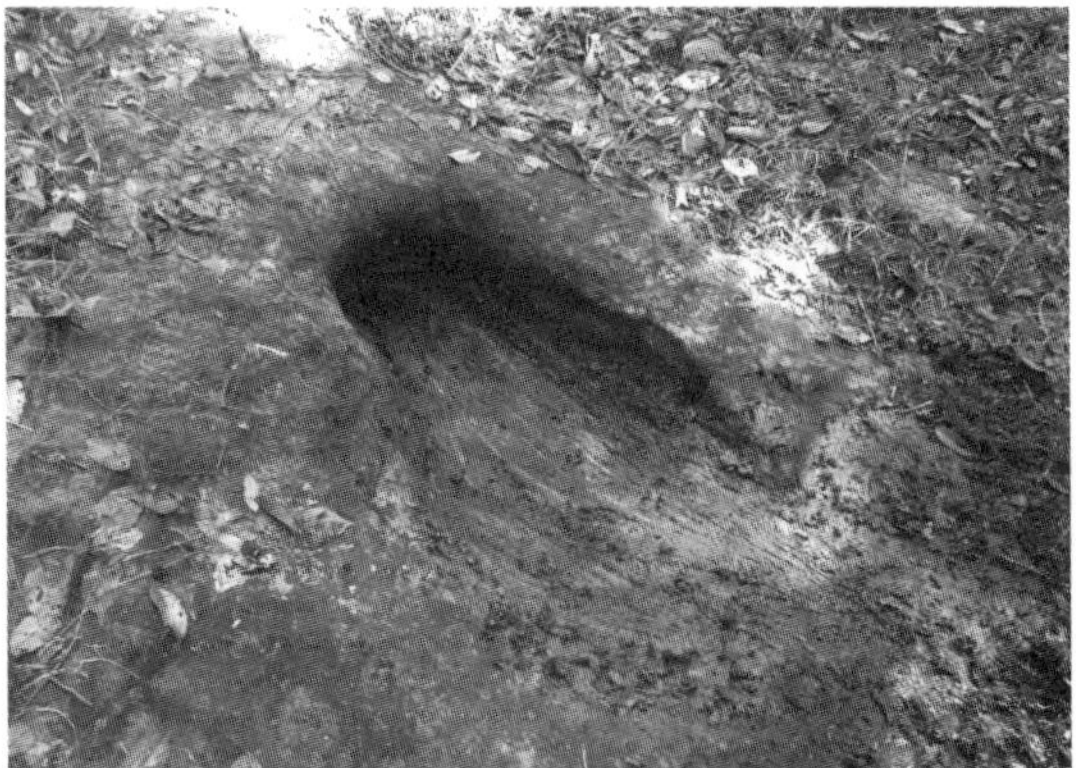

天狗の足跡

一五　真福寺と鰐口

真福寺

福田小学校の北のやや西に奥まった所に、今は観音堂のみ残るのが、真福寺である。真福寺に登る途中の西側に中島のある小さな池がある。墓地や周辺に板碑が多く見られ、また嘉慶二年（一三八八）・明徳二年（一三九一）の宝篋印塔の部分があり、古い寺であることが推測できる。この寺には、鰐口が伝えられているが、江戸時代に相模国（神奈川県）で発見され、後に真福寺に返還されたという不思議な来歴を持つ。鰐口の銘文は、次のとおりである。

「（表）奉寄進武州比企郡福田郷
　別所真福寺鰐口

（裏）明応四年乙卯正月十八日
檀那同所四郎太郎」（明応四年は一四九五年）

直径は約二一センチである。

鰐口には明治二六年（一八九三）の由緒書があり、それによると、豊臣秀吉による関東攻めの際に鉢形城を攻めた軍勢が小田原方面に帰るとき、真福寺のそばを通り鰐口を奪っていった。兵士らは小田原近くの心福寺という寺まで来たとき、その鰐口を捨てていった。江戸時代になって掘り出され心福寺に保管されていたが、文政年間に福田村の名主と江戸で同宿となった心福寺のある村の名主がこの話になり、福田村真福寺に返してもらったというのである。

よくできた話であるが、その後、新しい事実が判明することになる。一九八六年、神奈川県高座郡寒川町役場から古文書のコピーが滑川町に届いた。寒川町岡田の三沢恵一家文書と三枝竹常家文書のコピーである。三枝家文書の内容は次の通りである（三沢家文書は図参照）。

「覚

奉寄進武州比企郡福田郷

別所真福寺鰐口

明応四年卯正月十八日

檀那同所四郎太郎
丸差渡シ七寸
阿つさ壱寸八分
貫目六百八十目
天保八年酉三月十八日ニほり出し
右之鰐口ほり出し候場所ハ観護寺之内第六天之脇ニ五尺程之松之木有之其根ヲほり五尺程土ノ下ニ右鰐口有之候也同九年戌年二月六日ニ至り武州比企郡福田村真福寺旦家之者共弐人り参り候ニ付右鰐口相返シ申候ニ付其為取替観護寺江鐃鉢壱組寄進いたし候右代金与し而金三分差置申候以上」（天保八年は一八三七年）

右の文書により、真相が判明する。名主が偶然江戸で同宿したというのは間違いである。連絡を受けて、観護寺に奉納する鐃鈸《にょうはち》の代金三分を持って、

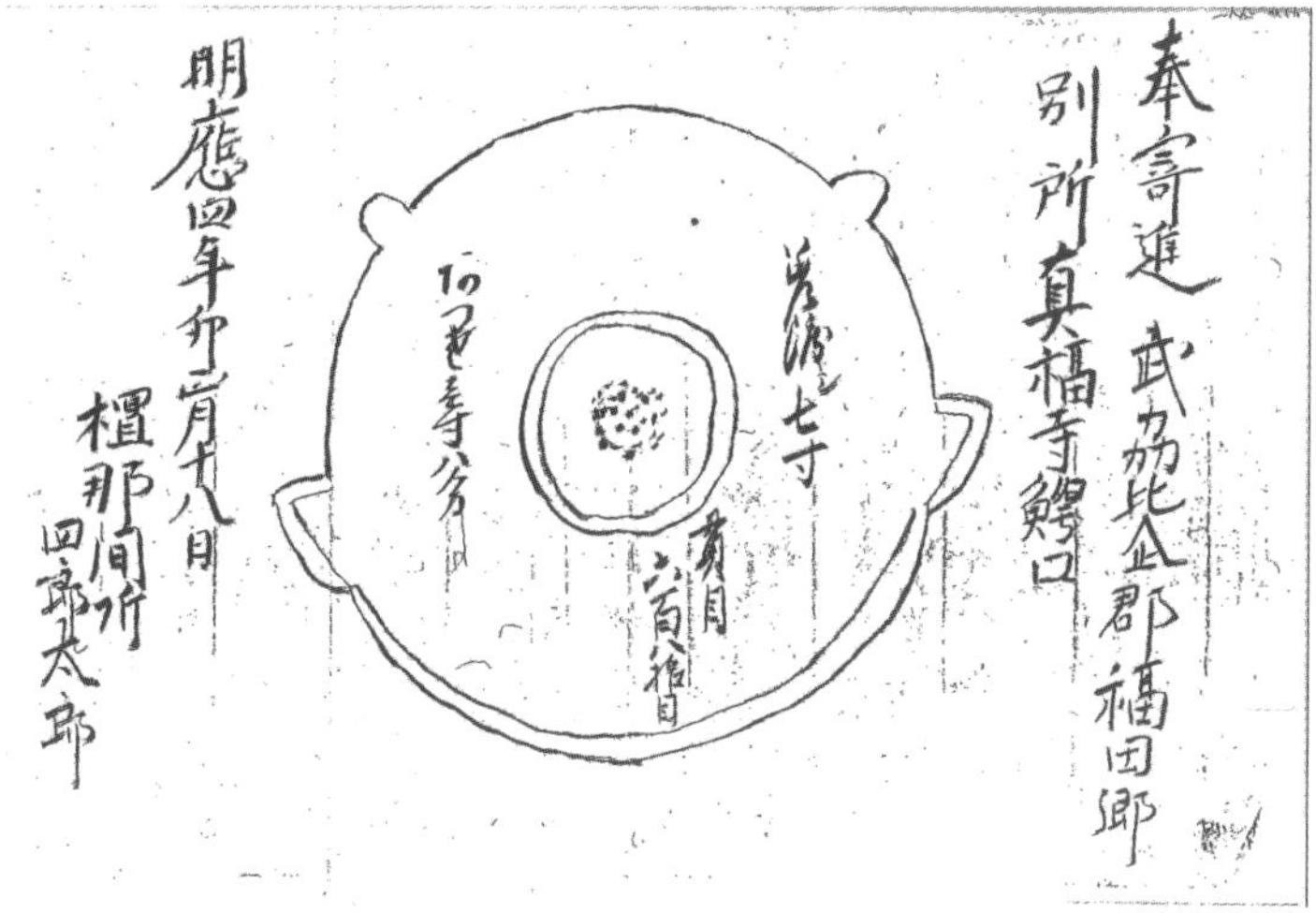

寒川町三沢恵一家文書（真福寺鰐口）

福田村から二人が受け取りに行ったのである（鐃鈸とは法会に用いるシンバルのような打楽器である）。観護寺は寒川神社の近くにあったが、今はなく、安楽寺に合寺されている。心福寺という寺はない。しかし、なぜ真福寺の鰐口が相模国から出てきたのだろう。兵士らが投げ捨てたものが地下五尺の深さに埋まるとは信じられない。この謎を解決するのが次の資料である。福田の神山勝政氏の文章である。

「わが家には、永禄三年（一五六〇年）上杉謙信の小田原北条氏攻略に加わり、相模国一の宮、寒川神社付近で討死したという先祖の記録がある。その先祖であるが、南一揆二三騎に属した下仕の地侍であった様である。南一揆二三騎とは、忍城主成田下総守と行動を共にしていた熊谷市及び荒川南地域の武士団である。馬場七観音碑文には、永禄三年の合戦で二三騎の一人、小高大和守が討死したと記されている。（以下略）」（『広報なめがわ二一五号』）

これらの情報をまとめると、次のような状況が復元できる。忍城主成田氏に従っていた南一揆二十三騎という地侍の武士団は、上杉謙信（長尾景虎）の小田原攻めに動員され、神山氏や小高氏が討死した。神山氏は出陣にあたって、菩提寺である真福寺の鰐口を陣鐘として持って行ったのであろう。討死して観護寺に葬られるとき鰐口が副葬されたと考えられる。その二七七年後に鰐口が掘り出されたわけである。

南一揆二十三騎という言葉は、「番場七観音碑文」に見える。碑は真福寺と神山家の間にある高台の上にある。福田小学校の北東そばである。この碑を立てたのは、江戸幕府の旗本（初め御家人）小高氏である。碑には、小高氏の祖先である小高大和守義俊は南一揆二十三騎の将であったが、永禄三年の小田原攻撃で討死した。その子の和泉守義季の一二七回忌に当たる享保一七年（一七三二）にこの碑を立てたということが書かれている。

一方、滑川町山田の贄田家には「成田左衛門佐家中之覚」（享保年間）という文書が残されている。これには忍成田氏に仕えたと思われる二三人の人名が貫高とともに記されている。ここには、二十三騎という言葉は書かれていない。しかし南一揆二十三騎を記録したものと考えてよいだろう。滑川町地域に住んでいたと思われる人物は、吉野出雲守・贄田摂津守・小高大和守・小高監物・石川伊賀守・石川右近正である。この文書では、贄田摂津守の貫高が最も多く、小高大和守が二十三騎の将であるとは言い切れない。また、神山氏の名も見えない。

成田氏の家臣団については、『成田家分限帳』が数種類知られている。これらを見ると、龍淵寺本と小宮家本に上山茂左衛門が載っている。布施田家本には上田茂左衛門という名がみえるが、上山の誤りかもしれない。この上山茂左衛門の先代（多分父か兄）こそが福田の神山氏の先祖に当たり、相模で討死した人物であろう。なお、右記の吉野出雲守・贄田摂津守・小高氏の二人・石川氏の二人は『成田家分限帳』には見いだせない。贄田氏以外では、同じ苗字の人名は見えるが、同一人物かどうかは判断できない。しかし、水房の吉野家には出雲塔と呼ばれる宝篋印塔形の墓石や位牌がある。贄田家では、先に紹介した「家中之覚」や系図を伝え、小高氏は番場七観音碑文を立てている。福田の石川氏は真福寺近くに「石水道林居士」という、石川伊賀守の供養塔と推定されるものを立てている。

以上のように、南一揆という武士団が存在したことは間違いないが、構成が二十三騎に限られたものなのか、それとも実態は二三人以上だったのかは不明である。構成人員が多少変動しても、二十三騎と呼ばれたか、または緩やかなつながりの地侍の集団があって、協力して成田氏に従っていたのであろう。これらの地侍は、年貢額に当たる分を領地として給付したとみなし年貢は免除され、他の公事と軍役の義務を果たした、半農半士の在地土豪だったと位置付けることができる。天正一八年（一五九〇）、忍城など北条方諸城が落城すると、小高氏以外は百姓になったものと考えてよい。ただし、小高氏は家康に仕えた家と福田に残った家があったようである。福田の小高氏は、大和守・和泉守の位牌を伝え、今も番場七観音碑文を管理している。

いわゆる南一揆二十三騎の子孫たちは、江戸時代に御家人（のち旗本）になった小高氏が享保一七年（一七三二）に小高氏の館跡であったという高台に番場七観音碑文を立てたことに刺激を受け、自分たちも祖先の顕彰をしようと考えて、供養塔・系図などを作ったのではないだろうか。なお、南一揆二十三騎のことを南族二十三騎と表記する文章があるが、これは誤りである。南族と記した史料はなく、使うべきではないと私は考えている。

福田の権田氏の墓地には、元は吉岡という苗字であり、成田氏に仕えていたが、後に権田と改めたという趣旨を記した碑が存在する。また、嵐山町広野の中村氏も、祖先が成田氏に属したという家伝があるという。やはり、荒川以南の比企郡周辺には二三人に限られない地侍の集団があったのであろう。

鰐口は町指定歴史資料である。

南一揆二十三騎に関する基本資料は次の三つである。

①「番場七観音碑文

夫以者於爰武州比企郡福田郷番場七観音者小高和泉守義季累代墓所也矣然所以者義季父小高大和守義俊者同国忍城主成田／下総守藤原宗連入道文明年中自城築爾来三代属旗下焉義俊者

南一揆二十三騎之為将焉所謂義俊者永禄三年官領上杉／輝虎於小田原陳討死焉則其子義季属
於長泰矣然到於天正十八年成田下総守氏長同舎第左右衛門佐長栄為秀吉公落城／焉矣雖然従
太閤下野国那巣烏山城賜於氏長并長栄一家中二十三騎列卒焉矣然後氏長逝去焉因茲松岡豊前
守／豊嶋美作守両人依諍論時成田家廃忘矣故二十三騎各義季和後還帰本国於前住矣然而慶長
十一丙午十二月二十日義季卒／焉則法名号勝利万隆大禅門焉於爰義季五代孫武州下谷小高作
左衛門源助親其祖父作左衛門吉親者元和元年／源家康公江被召出日賜於禄故隔流故源而祭嚢
祖廟思二孫長而故高祖父和泉守義季一百二十七回忌為仏果増進之于時／享保十有七壬子年刻
彫之祭其先志嘐嘐然蓋祖述堯舜憲章文武上律天時下襲水云矣乎冀翻功徳之余業者／一天静謐
四海安全別而御当家御武運亨通兼亦吾子孫繁栄門旗盛隆之基木世何況侍士待於冥加乎故経文
曰常誦是経／現世生報大王十六大国王修護之法添応如是矣云爾武州足立郡荒井邑千手山双徳
十六世現住天台沙門竪者法印究弁謹誌
　享保第十有七壬子五月吉日導師福田郷
　心田山前成安九世大叟現成安東水誌
　　江府之住義季五代之孫小高作左右衛門源助親」（一七三二年）

②石水道林居士墓誌

「（正面）
天正四庚午入暦
皈元　石水道林居士
三月初八日
（右面）
茲歳享保二十乙卯年冬十一月
（左面）
造塔之施主石川□兵衛
（裏面）
経曰是真精進是名真法供養来謂／者使一念信解之輩投入仏地必然則石牌／造立之功彼此一般也爰当所□産石川氏／孫年来先祖造塔之願今終于茲由来囊□／貞尚治令之時雖有功禄騎馬伊賀□之受陵□／業而民間不誌之唯願現生□□来成仏□」（一七三五年）

③「成田左衛門佐家中之覚

七拾貫　　　　　　　　　　　坂真平兵衛
同　　是者越後国
　　　景虎陣ニ討死　　　　野沢駿河守
同　　　　　　　　　　　　老地隼人
三拾貫　　　　　江河　　　吉野三川守
廿五貫　　　　　同村　　　若林河内守
廿貫　　　　　　　　　　　吉野出雲守
同　　　　　　　玉作　　　山岩若狭守
同　　　　　　　津田　　　塚本監物
同　　　　　　　小泉　　　長谷河伊与守
八拾貫　　山田羽尾土塩　　贄田摂津守
廿貫　　春野原住居摂津守
　　　　長子後山田村住居　贄田兵庫守
同　　　恩田住居
　　　　摂津守弟　　　　　贄田日向守
同　　　大谷居摂津守弟

後土塩村居住ス　贇田佐渡守

四拾貫　下福田大木居　小高大和守

廿貫　同村　小高監物

廿貫　上福田住居　石川伊賀守

廿貫　同村　石川右近正

同　沼黒　石川左京進

同　成沢　石川筑後守

同　熊谷　柳大学

同　石河隼人

廿貫　久下　小嶌周防

廿貫　奈良　無刀監物

永禄元戊午年ニ改之

天正元年酉三河金右衛門様江引渡」

番場七観音碑文

石水道林居士（拓本）

一六　山田城跡

県選定重要遺跡

森林公園の南口を入ってすぐ右前方の松林が山田城である。中央の平場には、説明板があり、それには、「忍の成田氏の被官、小高大和守父子及び贄田摂津守等が居住し、平山城としての城郭を整えていたと思われます。」とある。

前述（本書一五の項）のように、小高大和守は番場七観音碑文のある福田字馬場の地を館としていたと考えられるので、山田城は贄田氏が守っていたと考えるべきであろう。ただし、合戦のときは贄田氏以外の軍勢も協力して守備に当たった可能性もある。贄田氏・小高氏などの、いわゆる南一揆二十三騎については、前項で述べた通りである。時期は戦国時代のものであろう。

短辺一〇〇メートル、長辺一四〇メートルほどの大きさで、空堀と土塁が周囲を取り囲んでいるが、堀の外側にも低い土塁がある。東と南東部に小口があり、東側の小口は屈曲した導線となる折坂小口になっている。内部にも土塁があり、四つの部分に分割しようとした形跡があるが、未完成かもしれない。

山田城南小口（1976年）

山田城西端空堀（1976年）

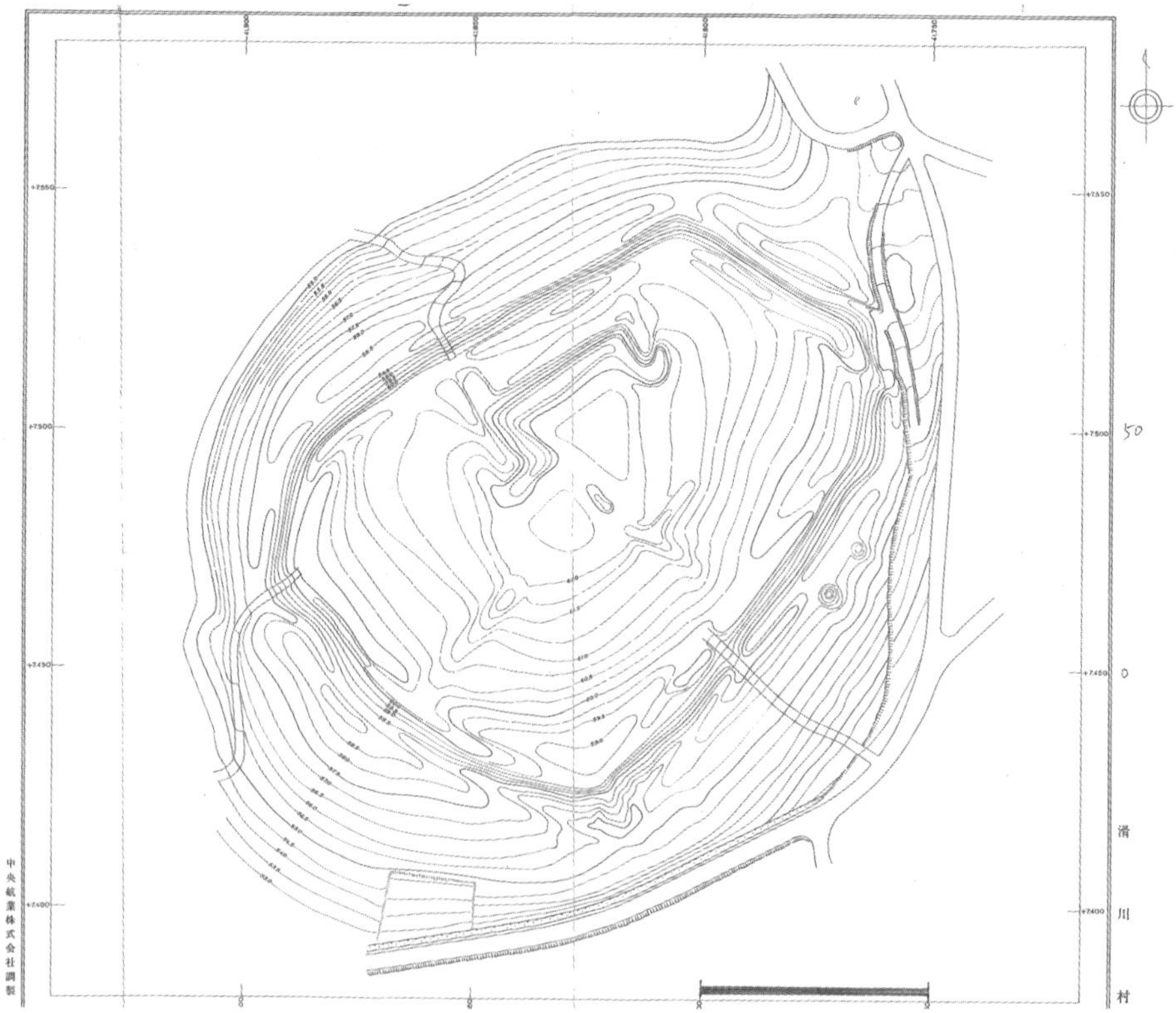

山田城跡実測図（「滑川村史」付図）　　0　　50m

山田城の北東すぐ近くには、三〇〇メートルほど隔てて、山崎城と呼ばれる遺構がある。これは南東方向に開いたU字形の土塁・空堀が廻るもので、内部は平端部は少なく、谷になっていて、いま寺沼と呼ばれる沼がある（近くに東光寺があるので寺沼という）。南北二〇〇メートル、東西三〇〇メートルほどの、かなり広い範囲である。南西の土塁中央に切れ目（小口？）がある。

南東側には現在は遺構はないが、元は堀や柵があったと推定される。北東部と南部に若干の平場があるが、北東部は東辺一〇〇メートル、西辺三〇〇メートル、東西四〇〇メートルほどの平場となっており、西辺と北辺は土塁・空堀となっている。また、西辺には張り出しがあり、南辺は切り落としの段になっている。年代の手掛かりはないが、山田城と密接な関係をもって造作されたもので、同時期のものと思われる。

東には、水田のある平地をはさんで谷城という小さい遺構がある。これは、北斜面に四段ほどの段築を作り、四〇メートル×五〇メートルの平場をL字形に空堀が囲み、その外に弧状の空堀があるだけの単純な施設である。東に一八〇メートルほど離れてL字形の空堀があるが、その間には何も遺構がなく、意図のよくわからない構造である。この谷城にも年代などの情報は何もなく、性格は不明である。しかし、近接して三か所の城館が存在するのは異例である。そこで、敢えて臆測すれば、山田城・山崎城・谷城の三者が連携して役割分担しながら、豊臣秀吉方の軍勢を迎え撃とうとしたのではないかという状況が想像される。

山崎城北東部

山崎城空堀

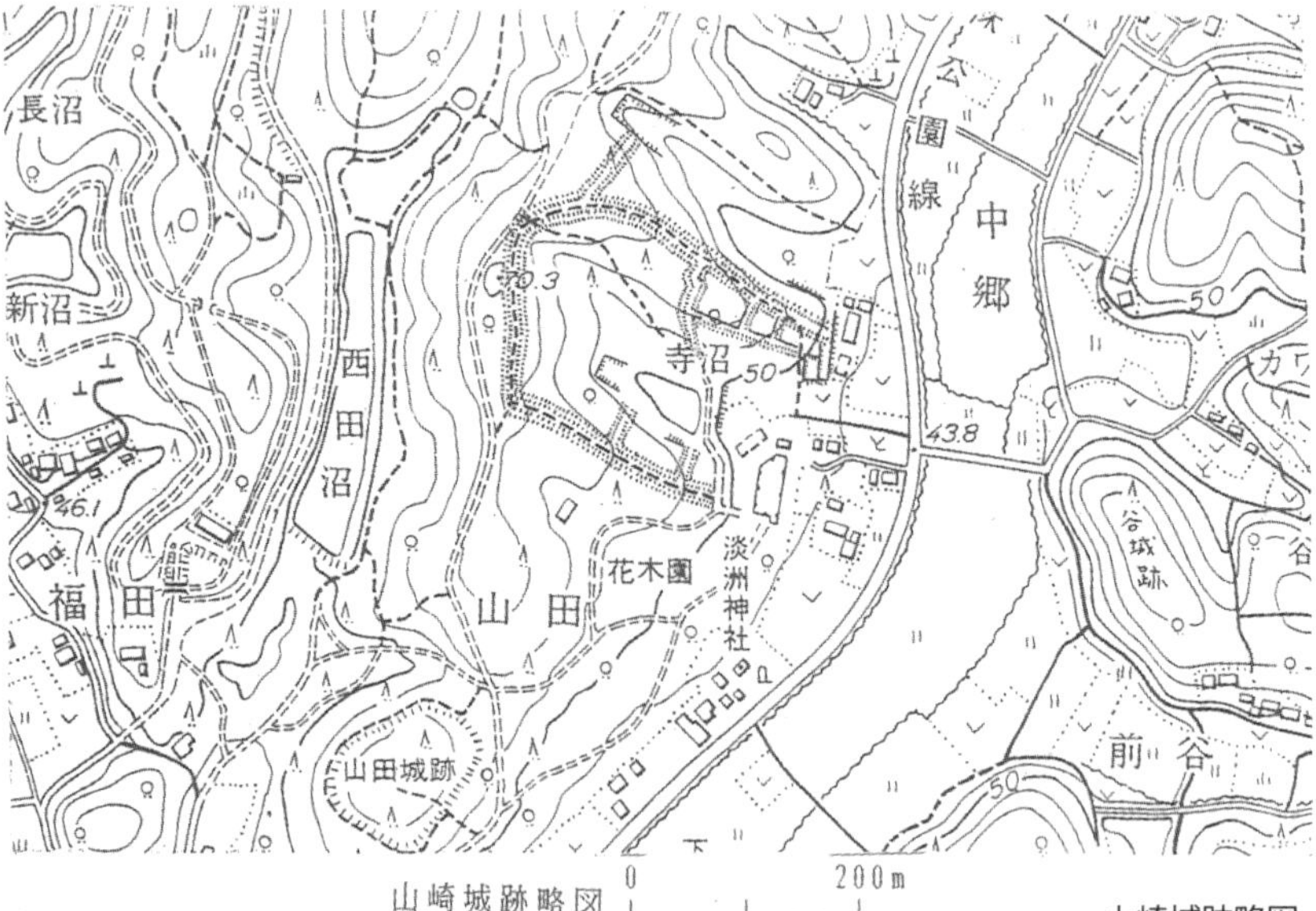

山崎城跡略図

一七　羽尾城跡（羽尾館跡）

県選定重要遺跡

羽尾字金光地にあり、羽尾館跡ともいう。『武蔵志』には「山松（松山）ノ臣山崎若狭守居之ト云」とあり、『新編武蔵風土記稿』には、「館蹟　村ノ巽ノ方ニアリ、広サ纔ニ三反許リ。上田案独斎ガ家人、山崎若狭守ガ住セシ所ト云フ」と書かれている。三反というのは中心部の平端部のみで、実際はもっと広い。北辺と西辺が各一一〇メートル、東辺一四〇メートル、南辺一六〇メートルほどの台形をなしている。

西は土塁・空堀、北は両側に土塁をもつ空堀となっているが、東は北半部に土塁があるが、南半部は自然の地形を利用した崖である。北東部の平場には短い土

羽尾館跡（腰郭から北を見る）

塁が残る。元は長く伸びて内部を区画していた気配があるが、削平されたようである。南には一段低い部分があり、南北一〇〜三〇メートル、東西一〇〇メートルの腰郭となっている。小口は現状で北側には三か所あるが、本来は一、二か所であろう。南側には折坂小口がある。腰郭北西端に井戸の跡といわれる場所があるが、今は埋められている。

腰郭を上った部分に八幡の小社があり、そばに石仏が二基と板碑片が一基ある。板碑には元応二年（一三二〇）の年号が見えるが、館跡の年代とは離れており直接な関係はない。羽尾館以前に中世の墓地があったことが推測される。石仏の一基は年号がないが、他の一基には宝永六年（一七〇九）の年号と男女各一名の戒名がある。その左下に、「山崎若狭正地内所」という文字が刻まれている。単に場所の説明として書いたのか、戒名の二人が山崎若狭守に何か関係があるのか不明で謎の墓石である。側面には「名田村施主八人立之」とあり、なぜ施主が八人もいるのか、これも意味がよく分からない。名田村という村はこの辺にはなく、これも謎である。

羽尾の寛文七年（一六六七）の小沢家文書と、同時期と推定される小林家文書によると、山崎若狭守以下七人の人物が羽尾館に拠っていたといい、彼らを羽尾七騎と呼んでいる。七騎とは、山崎若狭守・小林丹波・増茂因幡・町田帯刀・泉水淡路・倉林刑部左衛門・清水甚四郎である。『宮前村郷土誌』では、これを元亀（一五七〇―七三）ころのこととし、また町田屋敷・織部屋敷・

羽尾館跡北西部

羽尾館跡実測図（「滑川村史」付図）

淡路屋敷といわれる所があると述べている。『武蔵志』には羽尾村の長百姓が七神明七稲荷を祀っているとの記載がある。『滑川村史民俗編』は、七騎八稲荷・羽尾八稲荷・八稲荷七神明という言葉が羽尾には伝えられているという。七または八の稲荷や神明は、羽尾七騎に関係ありそうである。八稲荷のすべてを今特定することは難しいが、赤沼稲荷・小林稲荷・倉林稲荷・二ツ山（山崎）稲荷などを『滑川村史民俗編』は挙げている。これらは七騎を祖先とする一族（イッケ）の氏神と考えてよい。いいかえれば、七騎のうち山崎・町田・泉水は断絶し、小林・増茂（のちに赤沼）・倉林・清水（のちに須沢）と山崎の筆頭家臣とされる小沢の各氏が地元に残り、近世の羽尾村の草分けになったということである。

羽尾七騎にまつわる古文書は、寛文年間（一六六一―七三）のほぼ同じころに作成されたと思われるが、その理由は何か考えてみたい。そこで指摘できることは、寛文年中に羽尾村領主の加藤家内部で分地が行われたことである。『新編武蔵風土記稿』では、「寛文年中村内ヲ裂テ一族加藤平三郎ニ分地シ二人ニテ知行」となっている。おそらく、分地に際して村役人の選び方など、村内に歴史や前例を調べる必要が生じ、それに伴い草分け百姓が自家の古さを証明する資料として諸文書を作成したのではないだろうか。

羽尾七騎は南一揆二十三騎とほぼ同じ時期のものであるから、基本的に歴史的性格は同じものと考えられる。すなわち、松山城主の上田氏から年貢分の領地を給与地とみなされて年貢を免除され、軍役などその他の負担をして仕えた地侍の集団であろう。松山城落城後は羽尾に土着して村の開基となったことは上述の通りである。

羽尾館八幡社脇の石仏

石仏に刻まれた
「山崎若狭正地内所」

一八　成安寺・福田観音と酒井氏

成安寺

福田にある成安寺は元は晴照庵といい、その後、東福寺となった。福田村を領有した旗本酒井氏が菩提寺とし、酒井重勝は父の法名成安をとって寺名を成安寺と改めた。成安寺は幕府から一〇石の寺領を認められ、将軍の朱印状が九通残されている。三代家光・五代綱吉・八代吉宗・九代家重・一〇代家治・一一代家斉・一二代家慶・一三代家定・一四代家茂、以上九代の将軍から与えられた朱印状である。

家光の朱印状を例示すると、以下のとおりである。

「武蔵国比企郡福田村成安寺領

同村之内拾石事任先規寄附之訖

全可収納并寺中竹木諸役等
免除如有来弥不可有相違
者也
慶安元年八月十七日」（慶安元年は一六四八年）

旗本酒井氏墓地

成安寺墓地には、旗本酒井氏の墓がある。第六代を除いた初代から一一代までの一〇人とその妻らの墓石がある。初代重勝は伏見に、九代政和は江戸の龍興寺に葬られ、ここには墓石のみが立っている。六代重直も龍興寺に埋葬された。龍興寺は元は小日向にあったが移転して現在は中野区上高田にある。酒井氏の歴代は、重勝―重之―重頼―重春―重見―重直―貞倚―政勝―政和―政長―政醇―政徳であるが、政徳の墓は成安寺にはない。

酒井重勝は、文禄元年（一五九二）に福田村などを与えられ、福田に陣屋を築いた。陣屋は成安寺の北東約二五〇メートルの辺りにあった。福田字古性（古姓）で、今は畑や宅地になっている。初期には旗本も住んでいたようであるが、間もなく江戸に屋敷を与えられ移住し、代官が置かれたものと思われる。天保一四年（一八四三）に領地替えにより収公され、陣屋の家屋・倉庫などは取り壊され、畑となり、弘化三年（一八四六）に新田として村高に編入された。一二五〇年間も陣屋が存続したわけである。陣屋の広さは東西五五間（一〇〇メートル）、南北五九間（一〇七メートル）であった。

福田馬頭観音

成安寺の南東にある堂が福田馬頭観音である。寺の縁起では、宝亀九年（七七八）、どこからともなく来た老僧が、自作の馬頭観音像を祀って晴照庵と名付けたという。その後、宝治二年（一二四八）に高野聖笠周という僧が再興し、帰るときに立てたのが観音堂裏の建長板碑であると伝わる。板碑の項に述べた通り、建長板碑は町で最古、もう一基の南側の板碑が町で最大の板碑である。

観音堂には、算額や弓道・剣術の額が奉納されている。堂の南側に弓道の額があるが、風化のため文字がよく読めない。矢沢流のものであるようだ。北側にあるのも、風化して読み取れないが、文献では、甲源一

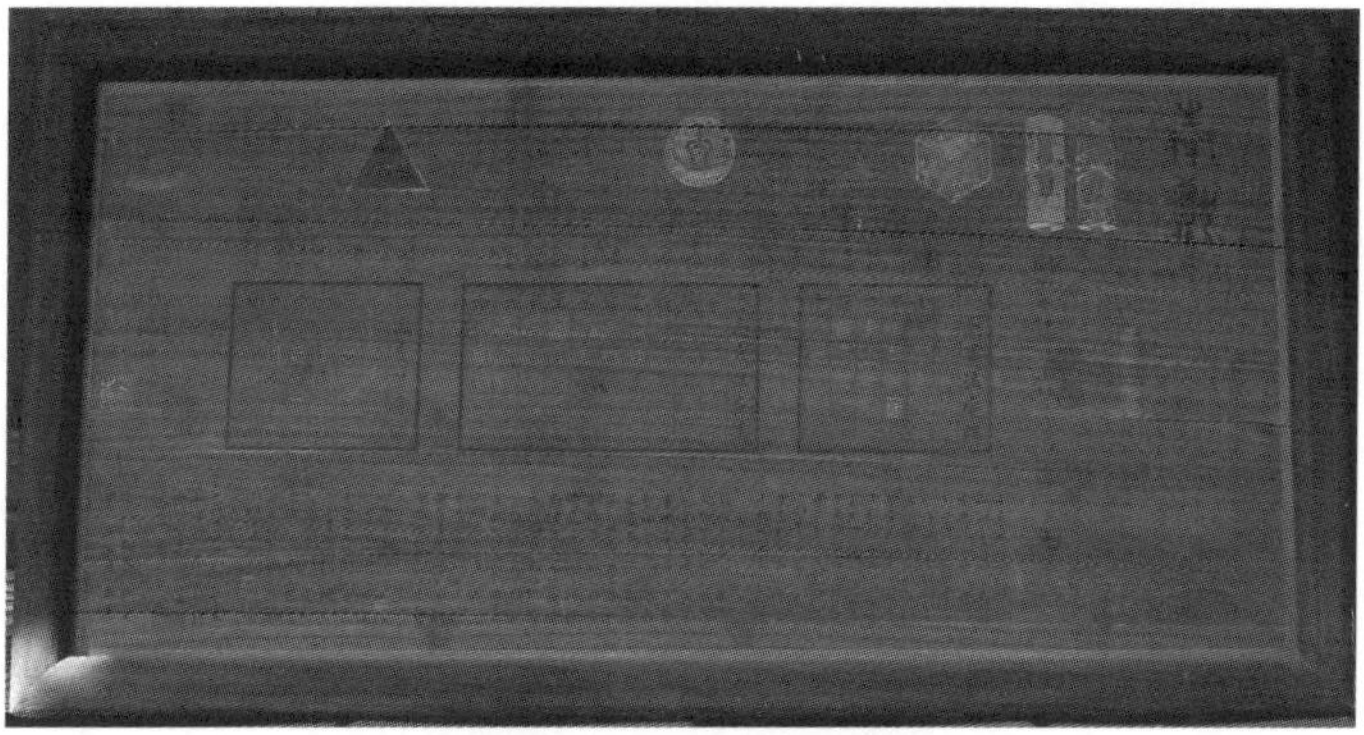
和算家・小林三徳の算額

刀流高橋三五郎一之が明治三年（一八七〇）に奉掛したものである。

かすかに「甲源一刀流」「逸見太四郎」「高橋三五郎」の文字が見える。

算額は、地元の和算家である小林三徳が元治二年（一八六五）に問題三問とその答えなどを示したものである。前文は次のとおりである。文の途中の／は改行箇所を表す。

「夫数術者六芸之一而人生之急務不可斉無一日／者也大之則日月之会食小之則金穀之出納不由／之而不取其詳也猶為方円者必於規矩焉伝曰／孔子嘗為委吏曰会計当而已矣雖孔子之大聖尚／講究此術可以知矣福田邨小林氏自幼研精此技／能造詣其奥秘広布其教於郷党之子弟受其誘掖／者不可勝数也今茲孟春欲製扁額以掲之於同邨／大悲閣請予題一言固辞不得命因弁数語識具概／

云　藤　蔓撰　夫淵堀榘書
木鐸克明齋　印印
関流悉統　小林三徳翁　藤正義（花押）」

問題は漢文で、立方体・球・三角錐の問題が掲げてある。解法が算木を並べた枠（算盤）に表現されている。一・三問目は開立、二問目は開平した答えの数値が示されている。下段に門人一四・同志一七・談友八・談柄四・志主二の合計四五名の名前が並んでいる。

小林三徳は文化二年（一八〇五）に福田に生まれ、明治一一年（一八七八）に亡くなっている。墓は、観音堂の西北西約八五〇メートル、西両表の共同墓地にある。銘文は、次の通りである。

（表）「克明庵照道数林法師」
（裏）
「　小林三徳翁墓碑
小林翁正義字三徳幼名丑太郎克明庵其号也
家世居福田村翁夙受数学於其父三右衛門
正周君壮而極精巧頗得出藍之誉曽門人等

小林三徳の墓

謀而掲扁額於里之大悲閣略表其発覚焉
又用余力于農事経験甚勉矣弁知穀草之雌雄
明覈為図明治五年五月以申告之官官乃賜
褒賞云今茲以病卒寿七十有四実明治十一年
九月二十九日也

銘曰　受業家庭　勉力推明　明及穀草
　実験細明　其業不朽　豈待余銘
　　氷園大窪康撰
　　　　　嫡子
　　　　　　小林勝吾正愛」

小林三徳の子が小林正愛であるが、神山熊蔵は、以下のような、正愛の碑文を書いている。

「小林正愛翁ノ碑
蓑山の東、滑川ノ北丘阜隆然樹林葱鬱。風色佳絶是レ小林翁建碑ノ処ナリ。翁イミ名ハ正愛通称勝五郎。考諱正義幼名丑太郎。妣ハ岡本氏。翁ハ長子。文政六年癸未某月武蔵比企郡福田村ニ生ル。春秋六十有五翁ノ家世々農ヲ以テ業トナス。翁ニ至ツテ殊ニ意ヲ稼穡ニ注グ。嘗テ先考禾穀ノ雌雄種ヲ撰ビ之ヲ自由ニ播ク。頗ル収穫ノ饒有リ。爾来十有五年刻苦嘉奨其ノ志ヲ極メ褒状及ビ金若干賜ハル。実ニ明治五年五月ナリ。是其ノ成功最モ綽々タリ先考数理ニ精シク翁遺術ヲ受ケ頗ル其ノ蘊奥ヲ窮メ農暇ニ閭里子弟ヲ聚メ算法ヲ探ル。循々訓誨倦マズ贄執モノ滋多。元治二年門人胥謀リ算額ヲ福田村馬頭観音ニ掲グ。亦以テ翁ノ志ヲ見ルニ足ル。翁人トナリ温厚冲和未ダ嘗テ物ニサカラワズ然ルニ己ヲ枉ゲ之ニ阿ワズ。能ク中正ヲ操リ終始一ノ如シ。而シテ性最モ酒ヲ嗜ム客イタレバ則チ巨觥ヲアゲ淋漓酣暢、醺然酔フ。マタ世間栄辱ノコト有ルヲ知ラス。是レ翁ノ矍鑠タル所以ナリ。今尚衰ヘズ。翁亦和歌ヲ善クシ吟嘯自ラ楽シム。是ヲ以テ地方操孤者流皆翁ヲ東道タルト推ス。今茲ニ某月門人胥謀リ碑ヲ立テ以テ師恩ヲ表ス。余ニ文ヲ徴ス余ト翁相知ル最モ深シ以テ文ヲ辞スベカラズ乃チ其平生ヲ記ス此ノ如シ」

この碑は、三徳の墓地の周辺には見当たらず、文はできあがっても事情があって建碑には至らなかったのではないかと想像される。

観音堂の周囲には、教育者・福田村村長栗原靄山の寿蔵碑、教育者・福田村村会議員の神山岩次郎の碑・日清戦争出征の軍馬の碑などが立っている。

三月一九日の縁日には馬を飼っている人々が、馬の健康を祈って馬を引き連れて参詣した。寺沼の周りを馬場にして草競馬が開催されたこともあった。

建長板碑・小林三徳算額は町指定考古資料・歴史資料、朱印状は町指定古文書である。

軍馬の碑は破損して読めない所もあるが、次のとおりである。

「(表)　□馬碑　　田経樹々原章撰并書
□□□□之役鞄頗艱難推校千古無所興護亦所以速奏功顕
□□□□四瀛若雖繇□□精銃軍馬之労亦可典有力也□邨
□□□□□頭皆多季馴習能服耕耘運輸之用者也外或戦死
□□□□旅遷或生還変遷流離可系出必一途也外無名之可
□□□□蹤迹并賞其功弔其霊哉久物同一致愛惜之情可□
建其夫施□畏尊者無科不現身亦済度一功衆生於冥□心中
并霊験不言有可知也応募之畜主曁者志之徒胥謀献□焉壹
顕可以報佞徳以重供弔斃馬之亡霊建碑伝不朽焉徠嘱文予
雖無以幼畢耕牧能知畜養之情故不辞有係之銘曰
　維赤維黄維玄維蒼或駈或跳風駿立場如子如父如僕如

主牽御習馴恩愛殊膴一朝遭戦時或車入邁陸蹤迹不可
討徒留一片碑

（裏）明治三十一年二月建焉　　成安寺吉田良全代」（一八九八年）

一九　慶徳寺・四天王と加田薬師

中尾の慶徳寺は元は東方の高台にあったが、元文四年（一七三九）に火災にあったため天明年間までに、一八世徒順恵匡と一九世潮海梵良が現在地に移して再建したという。門の前の「禁葷酒」の碑には一九世の名が見える。

元和二年（一六一六）に亡くなった中尾村の領主、旗本の岡部太郎作が中興したという。太郎作とは元清（主水）のことらしい。四天王像のある門を入ると、右が本堂、左の急な階段を五七段上ると薬師堂である。加田にあるので加田薬師と呼ばれている。目の病に効験ありという。中武蔵七十二寅薬師のうち、最後

慶徳寺・加田薬師堂

の七二番になっている。中武蔵七十二寅薬師は、安永五年（一七七六）に定められたもので、町内では、七〇番羽尾薬師堂（字東金光地）、七一番円光寺薬師堂（伊古字郷社後）がある。御詠歌は、羽尾薬師堂「頼みなば羽を双ぶる契りまで露も漏らさぬ松の下影」、円光寺薬師堂「さまざまに誓は変れ円かなる光は同じ干支の神々」、加田薬師「有り難き瑠璃の稔の寺々を廻り果てぬる身こそ頼もし」である。

四天王とは仏法のため四方を守るもので、南を増長天・東を持国天・西を広目天・北を多聞天が守護する。門に向かって左が増長天、右が持国天、奥の左が広目天、右が多聞天と並んでいる。江戸時代中期の作で、寄木作り・玉眼である。玉眼とは、目の部分の内側から水晶・瞳を描いた和紙・綿・当て木を重ねて固定したも

慶徳寺・四天王門

のである。門の正面には「医王山」と書いた扁額が掛かっている。文字を書いたのは月舟宗胡という僧で、加賀大乗寺の二六世だった人物である。

薬師堂外陣の天井には陰山道益の描いた龍と天女の絵がある。文化一〇年（一八一三）に伊子の花川が奉納した俳句の額もある。「瑠璃閣」という額の文字は愚禅の筆である（傷んだため今は掲示されていない）。また堂の外壁には十二支の彫刻が掛かっている。

薬師堂の向拝正面に「薬師堂」と記された扁額が掛かっている。これには、「元治元甲子年七月吉祥日　贄松之助正只同幸之允正純」という文字も見える。贄氏は、中尾村領主（旗本）の一つであるから、その一族とみてよい。中尾の雷電神社にも、同じ日付で同じ人物が奉納した「雷電宮」と書いた同じような額がある。幕末のあわただしい時期（一八六四年）に、贄氏は何か訳あって領地の寺社に同時に額を奉納したようである。

また、薬師堂の前に、年号のない扁平な石塔がある。これには、表面に「西方無量寿仏　両戸菴主　造花高妙」、裏に「施主両家信心者」という文字がある。性格がよくわからないが、伝説に出てくる両頭庵がここに両戸菴と文字に刻まれていることに注目したい。庵はこの近くに実際にあったものと思われる。

四天王像は町指定彫刻である。

薬師堂の天女絵

贄氏奉納の額

なお、寺には、焼失後の再建のころに作成されたと推定される境内の絵図（彩色）がある。絵の注記は次の通りである。

「寛政三辛亥年三月
武州比企郡中尾村加田
医王山慶徳禅寺境内絵地図
　但院中堅屋樹木無分間
以真規短定方推地詰歩
実平坪一万五千五百三十三坪半
　但田畠山林道堀池空地共
岡部四分間壱寸十間
当寺二十世泰完可全印
名主横田柳助印
　絵図師足立郡大間邑
　　福島幸作
　　　東雄印」（寛政三年は一七九一年）

図は六〇〇分の一の正確なもので、境内は五町一反余の広大な面積である。福島東雄は、『武蔵志』の著者として著名であるが、これにより測量の技術も持っていたことがわかり、その点からも貴重な資料である。

二〇　興長寺と愚禅

興長寺

羽尾の興長寺は興長禅寺ともいい、無学愚禅（大乗愚禅）和尚の寺として知られている。中興は、慶長一八年（一六一三）に没した領主で旗本の加藤喜左衛門であるという。加藤正之から興長寺を墓所としている。墓地には、正之―正顕―正英―正名―正脩―方正―正張―正心―輝雄と、五代から一三代までの墓がある。なお、六代正顕のとき弟の正忠に分地され、羽尾村は二給となった。また、幕末に至り、加藤家の領地の一部は羽尾村から伊子村に変更になっている。

山門（三門）の前に明和三年（一七六六）の「禁葷酒」の碑が立っていて、愚禅の筆である。山門に掲げてある額には「羽尾山」という字が書かれている。これも愚禅の書との誤解があるが、これは旨外見宗の字である。見宗は愚禅の四代後の興長寺二四世住職である。

さて、愚禅とはどういう人かを簡単にまとめてみたい。

愚禅は、享保一八年（一七三三）に今の吉見町丸貫の内野家に生まれ、羽尾の須沢家に養子に入った。延享三年（一七四六）、興長寺で出家し二二歳のころより諸国行脚し宝暦一二年（一七六二）に興長寺二〇世住職となった。寛政元年（一七八九）に加賀大乗寺の四三世となる。享和元年（一八〇一）に再び大乗寺四四世住職となった。文化五年（一八〇八）に熊谷市原島の福王寺開山となり、文政一二年（一八二九）九六歳で示寂した。能書家であり多くの文字が、寺社の額や石仏などに残されている。

旗本加藤氏墓地

愚禅の研究をした長沢士朗氏は、愚禅の書跡を集成して、県内で一三三件、滑川町内で二八件を確認したという。しかし、興長寺山門の「羽尾山」と越生龍穏寺楼門の「長昌山」は愚禅の文字ではない。私は「長昌山」は龍穏寺四六世沢山恵恩の書と考えている。
愚禅の書はこのように数多く残っているが、町内の代表的なものは、羽尾字悪戸の

「馬頭観世音」、福田成安寺の葷酒碑、羽尾字市場（コミュニティセンター入口）の「庚申塔」、羽尾神社の「鎮護宮」などがある。悪戸の馬頭尊は二代目で、初代が折損したために立て替えたものであり、折れた初代のものは、今本堂の前にある。

興長寺葷酒碑

愚禅筆・馬頭観世音

成安寺葷酒碑

羽尾神社の額（愚禅筆）

悪戸の馬頭観世音は町指定書跡である。
興長寺の本堂前には、愚禅和尚の碑と、二八世儀忠道賢（内山道賢）の碑がある。この碑の文章は以下の通りである。

「内山道賢碑

（題額）不癒病治人心

内山道賢師碑　旧友陸軍中将四王天延孝題額

疇昔枕山詩宗ノ道交ヲ門下古香老ノ律詩ニ讀ム曰ク三野道人賓執禮五山仙史弟憐才ト余ハ道賢師ニ賓／トシテ禮ヲ執リ師ハ弟トシテ吾才ヲ憐ム交友實ニ五十年也頃日門生胥謀リ頌徳建碑ノ擧アリ余ニ文ヲ／求ム誼辭ス可ケン哉羽尾山ハ先ニ愚禅得度シ後ニ仙挂終焉ス先考桂堂師ヲ刀圭家タラシメント夙ニ済／生學舎ニ學ハシム中道父ノ喪ニ初志ヲ擲チ遠ク越後石禅和尚ニ随喜研鑽スルコト多年帰来興長寺ニ掛／錫次テ浄空院ヲ董シ暫ラクニシテ帰山ス当時地方ニ中学ナク是ヨリ曩野本ニ春桂塾アリ智識階級子弟／ノ修道場タリ師亦東明会ヲ起ス近郊ノ子弟翕然門ニ集フ前渓ニ汲ミ後山ニ樵ル山門堂裡朗々咿唔ノ声／宜ナル哉比企教育会ハ地方稀覯ノ結社トシテ表彰ス風流韻事ハ代々ノ伝統俳禅一味ノ真諦ニ露月宗

匠／ノ名俳壇ニ鳴ル物換リ星移リ当年ノ子弟ハ地方ノ紳士タリ檄一度飛ンテ処在響応師恩ヲ讃ヘテ不朽ナ／ラシメントス師已ニ耳順ヲ過キ法弟未タ若シ千金ノ身自重ヲ要ス門生ノ所期亦此処ニ在ラン乎

頌徳辞

名刹嘗出名智識　流風遺韻千載香　如今江湖水雲客　禅林独得真骨頭　青春負笈墨水畔
越山杳々接心台　行雲流水別乾坤　桃李成蹊健児社　春浅梅痩故山朝　露月秋草山門夕
回首教化四十年　直指人心非疇昔　弟子々来議忽決　頌徳勒石伝後昆

昭和十四年孟夏吉辰　盟友　宮崎貞吉謹撰
秩父　髙田　群敬書」（一九三九年）

右により、内山道賢が、寺子屋師匠として教育に尽くしたことや、俳人として露月と称したことなどが読み取れる。

二一　福正寺と勢至堂

福正寺勢至堂

月輪の福正寺と勢至堂は、月輪神社の北にある。伝説では、藤原兼実（月輪殿）が故あって東国へ下向したさい、この地にとどまり福正寺を保護するとともに、建久七年（一一九六）一堂を建立して守り仏の勢至菩薩を安置したという。そこで月輪という地名がついたと伝えられている。しかし、兼実がこの地方に来たとは考えられず、資料もない。やはり伝説の域を出ないが、月輪の地名は、月輪家（九条家）の荘園があったなど、何らかのつながりがあったことを思わせる。ときがわ町の慈光寺には、九条兼実を含む都の人びとによって法華経などが文永七年（一二七〇）に奉納されている（慈光寺経：国宝）。比企郡と月輪家のつながりを示唆するものと言えよう。

そこで手掛かりとなるのが、大堀館跡である。勢至堂の南約七〇〇メートルの場所に、東西一八〇メートル、南北二〇〇メートルの方形の館跡がある。今は、北と西に土塁と空堀が明確に残っている。北辺は二本の空堀が三本の土塁にはさまれた形で、特徴がある。また、北東隅は土塁の線を曲げるなどの変化を加えてあるように見えるが、削平されてよくわからなくなっている。

この大堀館跡から北北東約一・五キロのあたりに、両家と両家原という小字がある。両家は領家のことではないかと思われ、そうすると荘園制に関わる地名といえる。鎌倉時代後期ころから、荘園を現地で管理した下司などと呼ばれた武士（地頭）が、荘園領主に年貢を納めなくなると、妥協策として下地中分が行われた。荘園を領家分と地頭分に二分することである。こうして、「領家」と「地頭方」という地名が隣り合って存在する場合が多くなり、現在でも各地にみられる。想像すれば、月輪と羽尾の境辺りを境界にして、西の大堀館跡の周辺が地頭分、東の両家・両家原の周辺が領家分と分割されたのではなかろうか。地頭方（分）という地名は残っていないが、大堀館跡は地頭の住んだ居館だったと考えてよいだろう。『武蔵国郡村誌』月輪村山川の項に、「駒留橋」・「駒爪石」というものが出ている。これは領地の境界（牓示）を示す石や橋があったことの名残りではあるまいか。ただ、今は正確な地点を示すことはできない。

勢至堂の外陣の天井には、藤原梅秀作の天女と龍の絵が描かれている。また、須弥壇の四方には勢至菩薩に仕える卯の彫刻が施されているという。堂の前には狛犬ではなくて、兎の石像が置かれている。この勢至菩薩は三夜様とも呼ばれているが、兎の像とともに考えると、二十三夜待ちの信仰と習合しているようである。滑川町周辺では、二十二夜待ちの石仏が多いが、ここだけなぜ二十三夜待ちなのかよくわからない。町内では、和泉字牛ケ窪に唯一の廿三夜待供養塔がある。寛政六年（一七九四）のものである。

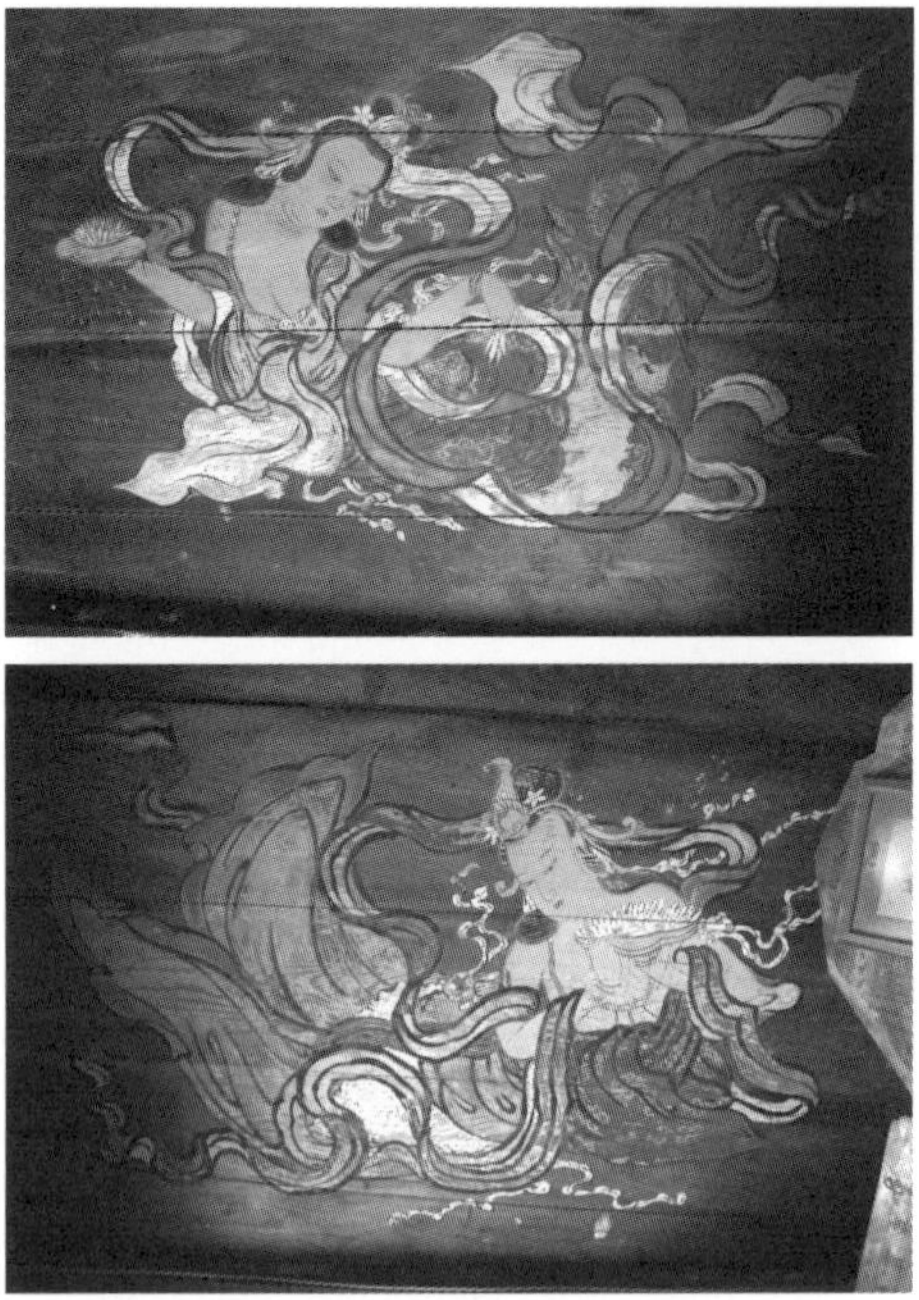
天井絵

勢至堂と福正寺は、比企西国三十三観音の二三番になっており、御詠歌は、「磨きぬる知恵の鏡や勢至堂迷いを照らせ月の輪の里」という。外陣の壁にこの御詠歌の額が掛かっている。比企西国三十三観音は、享保八年（一七二三）に創設された。この辺では二三番羽尾寺（羽尾字一天具）・二四

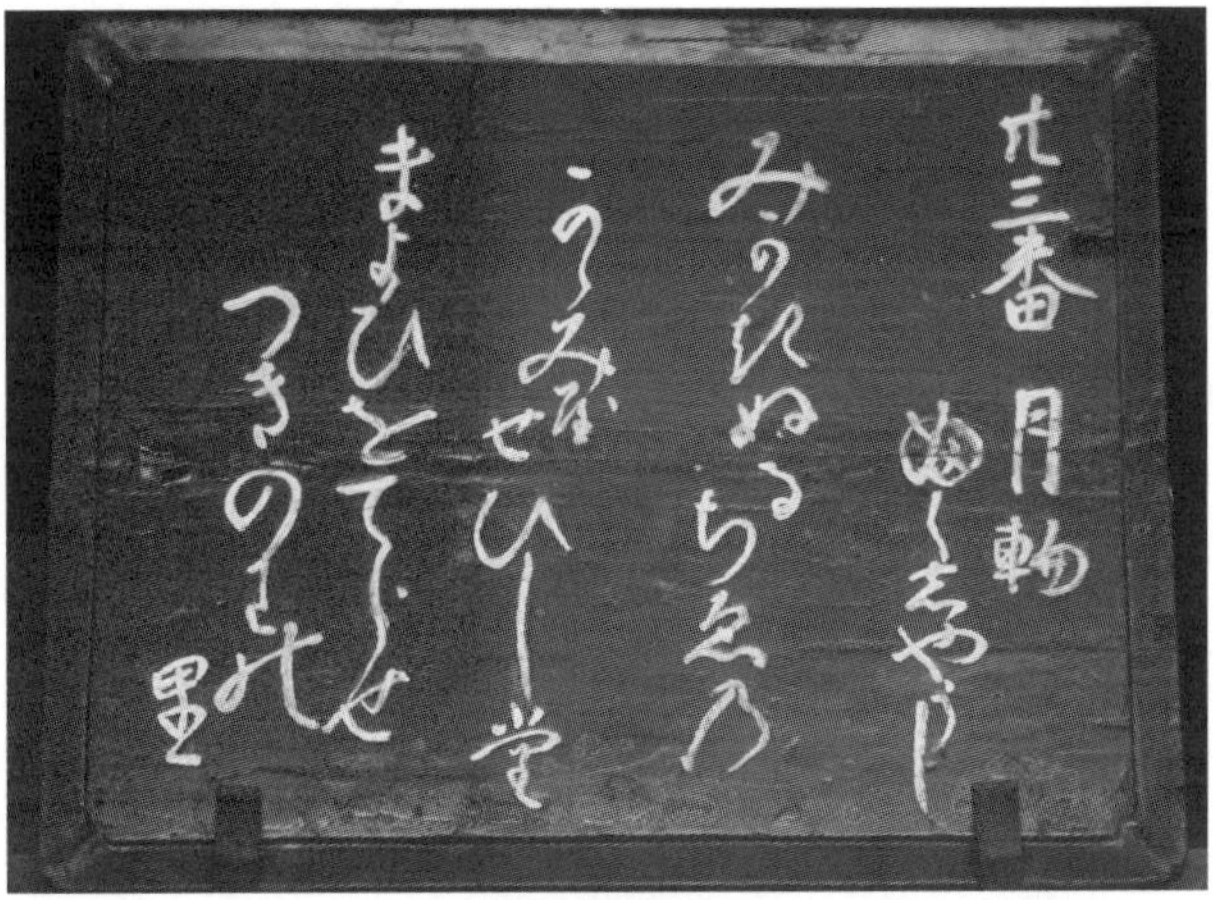

福正寺御詠歌

番法善寺（水房字表ノ前）・三二番谷津観音（山田字谷）となっている。御詠歌は、羽尾寺「むすびしていつまで草の羽尾寺に大悲の杖を頼む稚児坂」、法善寺「目の前にみのりの池の水房に結ぶ誓ひは頼もしきかな」、谷津観音「たのみある心を捨てしねびの山田毎に見ての影を映して」である。谷津観音の位置は、谷城跡の下である。なお、二二番は今は興長寺になっている。

また、勢至堂の裏の墓地には、寺子屋師匠、亮海法印の墓がある。

南に隣接する月輪神社は、月輪兼実も祭神の一つで、勢至堂と同様に兼実との関連が伝えられる。月輪神社に奉納される獅子舞と、下福田の熊野神社の獅子舞は、町指定の無形民俗文化財である。

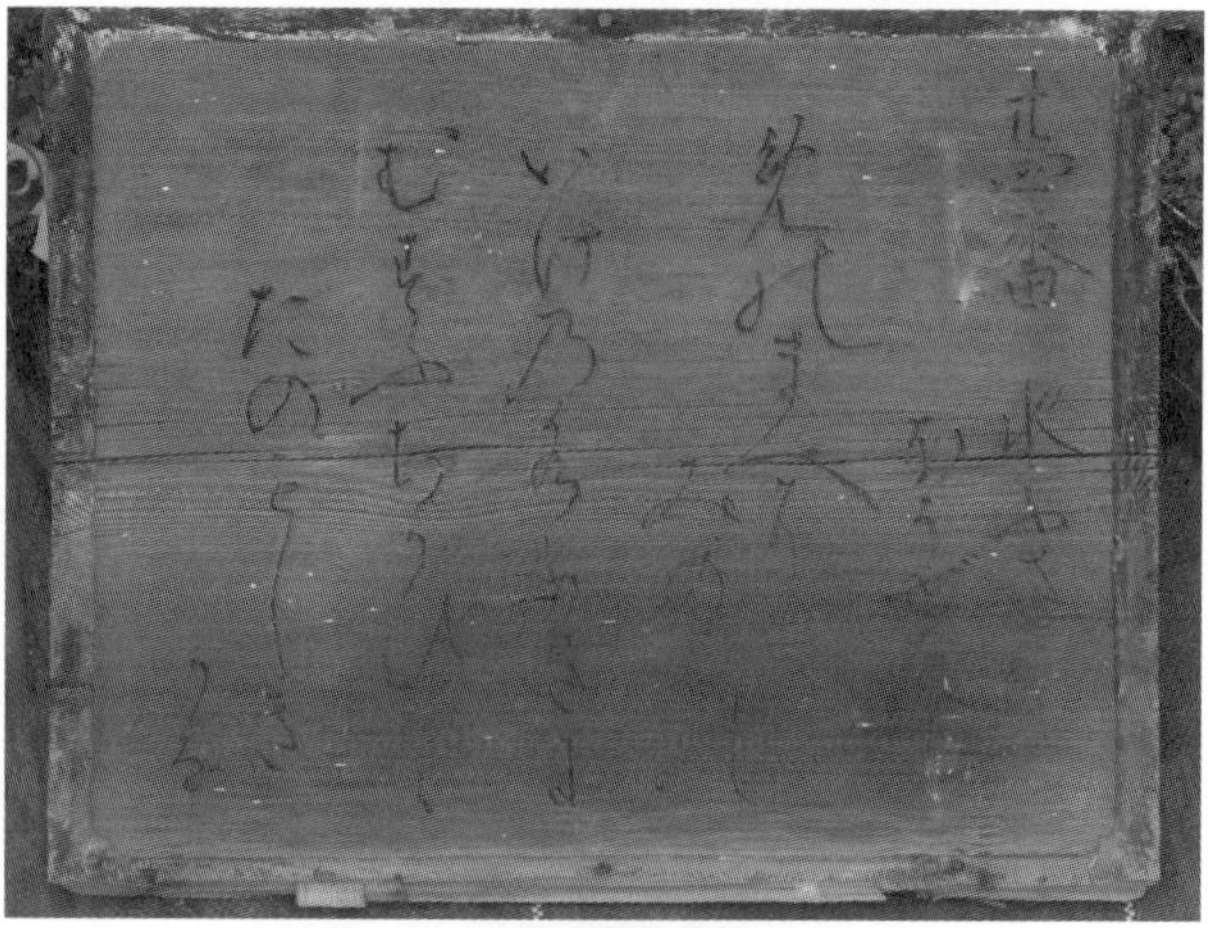

法善寺御詠歌

勢至堂にある亮海法印の墓

二二　貞享四年裁許状

町指定古文書

この裁許状は、江戸時代に表村と平村が猫谷沼と五輪沼の用水をめぐって争った時の判決文で、裏が絵図面になっている。貞享四年は一六八七年である。

裁許状の内容は以下のようなものである。

「武州比企郡羽尾村之内表村与平村用水論之事表村百姓申趣五輪沼之水従前々平村与一同ニ引来リ候殊ニ猫谷沼之水者無異論当村引取候処平村之者五輪沼之水止之当夏旱損由訴之平村之者答候者表村用水之儀者市川ヲ堰入引来候平村地内ニ堰溝を通候得共田地高此方用水ニ難成候依之五輪沼猫谷沼之水他村江為引候儀終ニ無之旨申之双方遂紀明処表村之者五輪沼之水田越ニ引来リ且又猫谷沼之水茂一同ニ引候由雖申之当所水筋一円不分明其上引来証拠無之条向後一切不可論之但市川堰之

水引取候儀者可為如前々依為後証絵図之裏書双方江下之間可相守者也
貞享四年丁卯九月二十二日」

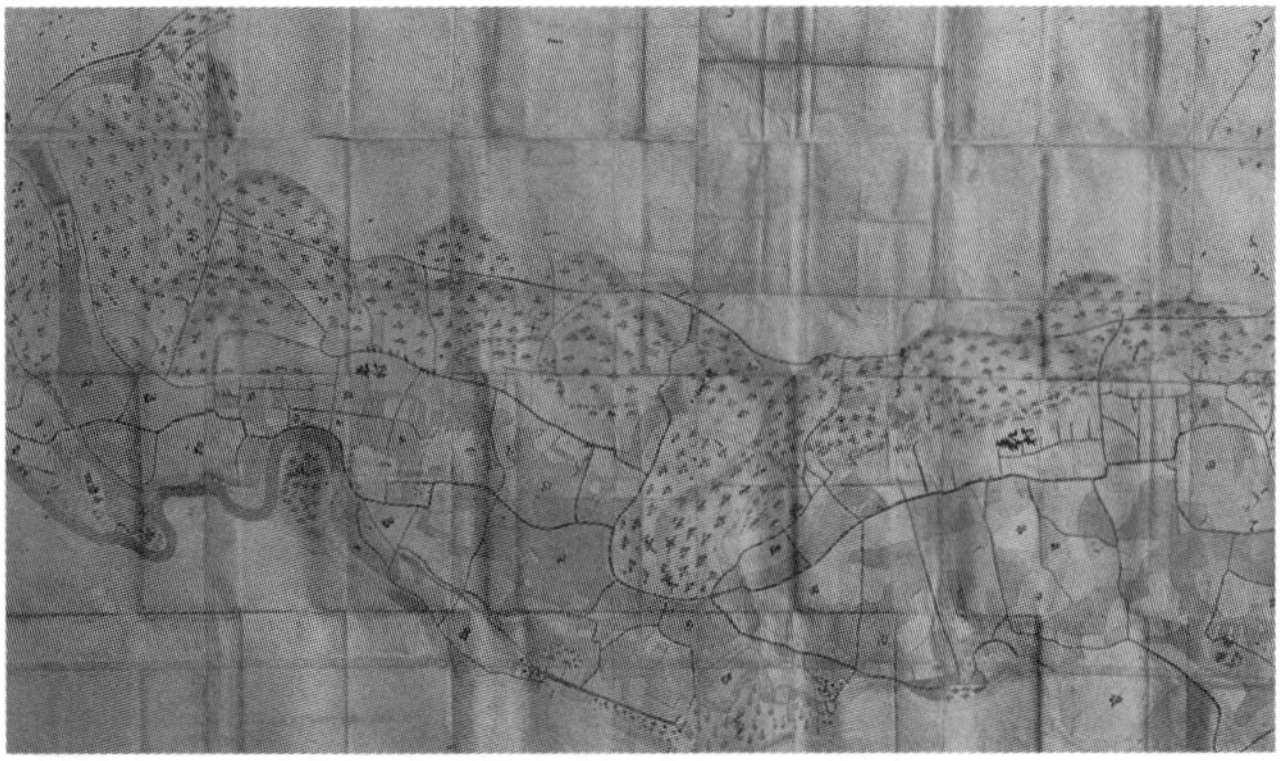

裁許状絵図（「滑川村史民俗資料三」）

これにより、表村が平村に対して行った、猫谷沼（今の上《かさ》沼《ぬま》）・五輪沼の水を引いてきたという主張は認められず、今まで通り市野川の水を堰から引くようにという判決であったことが分かる。

さて、絵図をみると、猫谷沼には「ねこ沼」、五輪沼には「こりん沼」と注記があるが、さらに裁許状にはその名が出ていない「とうでう沼」が描かれている。理由はよくわからない。表地区にはこの沼くらいしかなく、用水に難儀しているということなのであろうか。不明である。ここでは、その点ではなく、「とうでう沼」という名称について考えてみたい。この名前は今はなく、図の位置から判断すると、現在の高屋敷沼のことと考えられる。

一方、『武蔵国郡村誌』を見ると、羽尾村の沼に「道成沼」という名がみえる。これらは、ドウジョウヌマと読み、同じ沼を指していると考えてよい。道場沼の意味を考えると、道場とは寺のことであり、寺のそばの沼ということになる。そこでこれは、福厳寺のそばということを意味していると思われる。『新編武蔵風土記稿』には、「福厳寺蹟　坤ノ方ニアリ、天正年中武田信玄此辺ヘ働キシ時、兵火ノ為ニ烏有トナリ遂ニ廃スト云フ。此説マコトナランニモ天正ト云ハ誤リナルベシ。永禄年中ノコトナラン。」という記事がある。享保一五年（一七三〇）の設楽家文書によると、天神山に「福言寺」跡があることがわかり、「福言寺屋敷」という表現も見られる。場所は、今の小字天神前と考えられるが、高屋敷沼の北西約一〇〇メートルの所に、三〇メートル×三五メートルほどの平場があり、ここが福厳寺（福言寺）の跡と推定される。その北には塚が数基あり、中世の墓地か経塚があった可能性もある。また、小字東平の地蔵庵（院）には、天文永禄（一五三二―七〇）のころ武田信玄の軍のために焼失したという伝えがある。これらを総合すると、永禄五年から六年（一五六二―六三）にかけての武田信玄による松山城攻撃の時に、福厳寺と地蔵庵が焼失したと推定できる。

高屋敷沼の堤の改修で、古い樋管が発掘され、そこに「天保七年丙申四月日」という文字が刻まれていた。この樋管と、寛政年間（一七八九―一八〇一）の南谷沼（福田字小川谷山）の樋管・昭和五年（一九三〇）銘の両表の中山にある長沼の樋管の三点は、町指定文化財になっている。

ところで、町の発行する各種の資料には、町内には沼（溜池）が約二〇〇とか二〇〇以上あると書いてある。しかし、二〇〇以上というのは大げさで、実際には一七五ほどである。

樋管に刻まれた「天保七年丙申四月日」の文字

二三　双体道祖神

町指定有形民俗資料

　この道祖神は、羽尾字糠ケ谷戸にあり、台座に「宝暦十庚辰十一月吉日施主廿七人」という文字がある。道祖神とは道の神で、道の分かれ目、村境などに立てられることが多い。道の神から境界を守る神、旅の神、足の神などに変化した。羽尾ではドウロクジンと呼ばれ、足の神となっていて、草鞋などの履物が奉納されてきた。宝暦一〇年は一七六〇年である。

双体道祖神

　中村光次氏によると、埼玉県には約四〇の双体道祖神があるが、年代のわかるものでは、羽尾の道祖神が最古だという。双体は、県北西部・西部には多いが、比企郡では川島町吹塚に一基

（年号なし）あるだけで珍しいものである。文字の道祖神は滑川町には二基ある。寛政一〇年（一七九八）の伊古字平にあるもの（今は田尻に移動）と、天保一四年（一八四三）の水房字寺之台のものである。

文字の道祖伸（伊古）

文字の道祖伸（水房）

二四　宮嶋勘左衛門の碑

町指定歴史資料

碑は月輪の勢至堂のすぐ西にある。

食物などを包む昔の包装材で、赤松を薄く削ったものを枇木という。ふつうはヒギ・ヒゲと呼ぶが、経木ともいう。宮嶋勘左衛門は竹の皮で食物を包んでいたころ、竹が枯れて皮がなくなったとき、赤松を薄く紙のように削ったものを創始した人物である。碑の裏面の文章は次のようになっている。

「碑陰記

宮嶋勘左衛門氏遺伝出業地産有枇木者軽便利

用菜肆魚舗及呉服商争買之以故項氶継此業者

宮嶋勘左衛門の碑

弌年盛於一年其従胥謀謁予曰欲建碑以表創業
氏効矣子幸記其事予固辞不可于時有酒与之対
酌数時間得詳氏之平生遂為略叙予雖不能銘然
楽道人之有益以伝為況氏者為吾郷里人面先比
益導郷里其事業不可不賞又不可不伝氏以文化
十弌年生於比企郡月輪村父曰重兵衛氏其三男
也至性卓犖不羈常慨然自許欲有所為年甫十八
而同村字逆堀為宮嶋仙之助養子継養父之志勤
勉無怠旦思想精密甚富工夫月輪之地質適松樹
山林故多植以松故其材殊良即用其幹作枇代厚
紙用於包菓子魚類及食物絹布等其根者設機械
搾取油囧継為業者為資益凝工夫苦心経画之未
至嘉永五年終基発燭木片製造之法用樫木為台
是挟利餂称遺木設力木滑於戻引用此機以尺余
幅長達三尺余一種之作製枇木也所謂我朝之兼
八意思者則以是故矣此枇木者以能勝湿気其益

十倍於厚紙因之商家争使用益盛而販路日増月加輸出及四方今日於此業成業者数百戸地方如斯皆是氏之先見所為而氏之賜也矣夫此業営者皆受氏薫陶者而氏抑此業為濫觴矣嗚惜哉天不仮命明治元年享年五十有四歳逝矣氏初娶同村大嶋氏女生二男弌女女名常嫁他家長男善八嗣家次男沢吉嗣仝村大嶋家兄弟共継続父之偉業益究其精是則孝而可謂益土地故氏之勎欲永伝世有志者胥謀刻之貞珉付不朽云銘曰

卓立一志加鞭　工夫弌貫得全

人生僅六十歳　遺業可万世伝

拾硯齋大塚隣溪撰并書

明治四十年五月」（明治四〇年は一九〇七年）

宮嶋勘左衛門は、農業のかたわら木挽きもしていたが、その腕前を見込まれて、幕府の作事場で働いたこともあるという。その後、帰郷して附木を作っていた。附木とは松の木を薄く削ったものに硫黄を付着させ点火用に用いるものである。ところが、弘化年間（一八四四—四八）に付近一帯の竹が枯れ、食物などを包む竹皮が欠乏した。この代用になるものを工夫して、附木をヒントにして松の木を紙のように薄く削った枇木（経木）を作ることに成功したのである。鉋で木を削るのを逆にして、刃を台木に固定し、松材をその上で滑らせる方法を嘉永五年（一八五二）に発明したわけである。しかし、竹が再び繁茂して竹皮が復活すると、枇木はいったん売れなくなったが、明治末から昭和中期にかけて枇木の需要が高まり、食物の包装用として広く普及したのである。しかし、昭和三〇年代には枇木に代わるビニール類が増え、次第に使われなくなった。

二五　喜之字屋連の碑

水房の阿和須神社の境内に、「歌舞伎水房喜之字屋連の碑」が立っている。これは水房の石川寅次郎が江戸で歌舞伎を学んで故郷に帰り村人に広めた喜之字屋連を記念した碑である。本文は次のとおりである。

喜之字屋連の碑

「家業に精励し余暇を楽しんで歌舞伎を演ず　これを地芝居と称す

幕末　石川寅次郎翁は江戸に出て　時の名優十二世守田勘弥の門に入り奥儀を極めて帰り坂東又四郎と名乗り多くの若者を指導した　師の屋号に因み喜之字屋連と称しその名上州野州に及ぶ　中村彦次郎翁この後を継ぎ坂東池鶴と呼び又多くを導きその名声四隣に轟く　然るに昭和三年放光寺の火災に遭い大道具小道具を失い且又世の不況に伴い再起の機を失えり

茲に両師の徳を讃え同志の在りし日の面影を偲び追善供養を行い碑を建て長く後世に伝えんとす

昭和五十九年四月吉日　　吉野文真撰文

吉野元治謹書」（一九八四年）

喜之字屋連は、明治一七年（一八八四）に嵐山町川島の鬼鎮神社に歌舞伎の絵馬を奉納したが、今は見当たらない。

なお、この他にも、羽尾裏郷の栄連・下福田の大正団という地芝居があった。私は、子どもの頃、羽尾の諏訪神社の祭りで芝居を見た記憶があるが、どこのものかは分からない。

二六　福田鉱泉

福田鉱泉

福田小学校の北西約九〇〇メートル、湯谷山に福田鉱泉がある。福寿館は今は営業していないが、私は子どもの頃に一度入った記憶がある。皮膚病に効果があるとされている。この鉱泉については、『滑川村史』に由来記が載っているので引用しておく。

「薬師如来霊泉由来記

一　人皇五拾壱代平城天皇御宇此所未古木生茂り峯もわからぬ幽谷也。其頃何国ともなく蓮海行者言貴僧来り住玉ふ。或時木こりとて畑の草むらにわけ入玉ふに鹿一疋伏居たり。行事恐るゝ事なきゆへ不思議に思ひよく見れば手負たる鹿なり。伏たる辺りに水少し有。僧あやしみ日毎に通ひ見玉ふ。五七日過し頃きず平癒して走り去る事常の如し。行者きいに思ひ鹿の伏居たる跡をうかがひ見玉ふに温なる水なり。行者我庵に帰り此子細を諸人に語る。其頃ぎやうきぼさつ比企岩殿吉見岩殿御開基有御住庵被成しが右の子細を聞しめされ大同二年四月七日此所へ御尊来有。蓮海坊御案内ニて右の岩窟の元に御尋まします所に不思議成哉木末にかゝれる春霞たちまちしうんと成岩窟の内より光明輝薬師如来出現ましましけり。ぎやうきぼさつへ御礼有ぎやうき尊体を拝し奉り有がたしと伏おがみ玉ふに如来は元の窟へ入玉ふ。御跡三度ふし拝みて則如来の御尊体をうつし奉り並に観音を御せい作有て徳水山蓮花寺と号し右三尊を御開基被成玉ふ。山号を徳水山と被遊ハ薬師如来の御明徳の溜り水有ばとて山号に付玉ふ。蓮海坊見付殊に蓮沼と言名所あればとて蓮花寺と号し玉ふ。右三尊御造立の場所堂久保言堂跡有。蓮海坊せんけのせつ人家をはなれ清き所へほふむりくれよとの言けんなれハとて遥の山奥へほうむる。此所行人谷と言。行人塚とて塚も有右の御寺蓮海坊へ被下其年七月十六日蓮海熊野名知山へ参籠玉ふ山中より老翁石のほこを持出られ蓮海へ仰けるハ此石のほこの内に日光月光七やう九やう二拾八しゆく総じて八万八千仏あらわれ有。是をまもり下り湯前権げんとゆわひ有べしとて被下且蓮海問て貴翁は如何なる人にてましますと也。翁答テなんじが心にとへとの玉ふかと聞ば尊体は見へ玉わす。蓮海かのほこをおしいただき御跡三度伏拝ミ帰寺有大同二年丁亥九月廿九日湯前権現と祝ひ奉る。今に於て九月廿九日を祭る事此ゆわれ也。薬師如来の誓の湯なれバとて湯小屋をしつらひ大釜の渡り三尺五寸厚サ二寸七分弐間四方の湯坪をほり其中に釜を入釜の中にて火をたき其まわりに諸病人を入せ玉ふに万病治せずと言事なし。薬師如来の御誓力なりとて遠近の老若男女つとひ来ル事かぎりなし。其後元弘建武の乱世にて人民手足を置に所なく殊に北国より鎌倉へ往来繁く家財をうばハれ或ハ人足に遣われ亡所して湯小屋人家も名のみのこり又光栄寺真福寺と言有。此住僧も百姓と同じく立去り玉ふ。漸其後世の中鎮て立帰りけるに住馴し我庵も悉ク大破して本尊さへおわしまさず二人の僧涙ながら湯屋の蓮花寺ハ如何なりけれ行て拝まんと彼の寺へ参りしに寺中大破なり。されども右の三尊は恙なし二人の僧有がたく薬師如来ハ光栄寺へまもり奉り今の光栄寺の薬師是也。観世音ハ真福寺へまもり奉る今のくわんのん是也。其後中尊のみだ斗り蓮花寺に立せ玉ふ。其後人家調ければ右の聞伝へにて湯も絶せず有也。寛永年中大融院殿御代此湯の義御聞ニ達シ上ケ奉りしと也。其後も御地頭所迄差上しと也。其以来入湯しばらく中絶に及所に去ル享保九年の春野原村の文殊寺の住僧病気にて既に気力叶わざる所に或夜夢中に老翁壱人枕の元に立せ玉ふ。我ハ福田村の湯前薬師也衆生の病苦を扱わん為昔より彼の地に名湯をあたへ置しに近頃ハ中絶してなげかわしき事なり。かの湯に入ば病気平癒うたがへ玉ふなと御告有て夢ハ覚ければ住僧難有かんるいきもに命じ早速かの薬水を乞請居風呂ニして一七日入ければ本腹致しけり。依之薬師如来の尊像をあらたに建立奉り仏前に加具を奉納致しけり。今に至りても薬師如来岩窟の内に籠玉ふ。常の人拝ミ玉ふ事叶わず。昔小久保喜右衛門娘九ツの年岩窟の辺にて遊び居て薬師如来の岩窟内より光明をはなちて顕れ玉ふ御丈壱尺より内と拝み奉る。御衣ハ黄色なり。其後ノ延宝年中喜右衛門右の通り拝ミ奉る昔拾五才以下の子供ならでハ尊体を拝す事不叶と言事なり。

蓮花寺享保九年辰迄百四拾弐年跡暫して小久保喜右衛門と言者上州前橋領小久保村より来百四拾壱年以前より百姓相勤湯前薬師権けん稲荷のねき役ともに相勤同村の晋光寺を先達に頼むよし。正月の松かざり総じてのまつり事迄代々湯の仕配致す事なり。

大同二年丁亥より享保九年辰年迄凡九百四拾八年に成

文政年中

小久保忠治郎うつす」

（大同二年は八〇七年、享保九年は一七二四年、文政は一八一八年から一八三〇年）

『武蔵志』には、「当所（滑）ラカナル水アリ　土人風呂ヲ焚　古ヨリ（其字ヲ）湯谷ト云疾瘡ヲ煩人（来テ）入」とある。

次に、明治初期に政府が全国に地誌の調査・報告を命じたときの報告（『大日本国誌武蔵国』）を紹介しておきたい。

「福田砿泉

比企郡福田村ノ中央ヨリ少北ニ当リ字湯谷ニ湧出ス薬師ノ湯ト称ス泉質硫黄気ヲ帯ヒ清潔ニシテ碧色アリ身体ヲ澡スレハ柔滑ヲ覚ユ温度五拾三度楊梅瘡疥癬胎毒脚気疝気痔疾等ニ効アリ大同中発見ト云伝フ旅舎二戸アリ四槽ヲ設ケ浴客一年平均千弐拾人」

泉温について『福田村郷土誌』には、六〇度とあるが、摂氏二五度未満の温泉を鉱泉というので、これらの温度は華氏である。摂氏では一二から一五度と推定できる。

『熊谷郷土会誌七』（一九四二）には、東京衛生試験所の調べによる鉱泉の成分が紹介されている。「クロールカリウム〇・一五六〇、クロールナトリウム〇・二六三三、硫酸ナトリウム〇・〇〇九三、重炭酸ナトリウム〇・六九四三、重炭酸亜酸化鉄〇・〇〇八九、重炭酸マグネシウム〇・〇一五〇、珪酸〇・〇三〇二、アンモニヤ痕跡」であるという。重曹泉（炭酸水素塩泉）であることが分かる。

湯谷山地下壕（1985年）

埋められる地下壕（1993年）

アジア太平洋戦争の末期、鉱泉の辺りから、南約三〇〇メートルの棒山沼の西側まで、地下壕（トンネル）が掘られた。二五の入り口があって、壕が完成すれば、総延長約二キロメートルとなったと推測される。立川航空廠の飛行機部品の保管と組み立てを行う予定であった。しかし、完成前に敗戦となり、未完成となった。その後一九九三年、駐車場造成工事により、半分以上が消滅した。

町内には、このほか羽尾字西平・水房字中芝などに地下壕などの戦争遺跡がある。また、唐子飛行場跡は、いま工業団地になっている。唐子飛行場建設のために、東上線の線路が曲げられたことは周知の通りである。

また、土塩字台原・岩井口には、半地下兵舎と半地下格納庫の跡がある。格納庫とは、小原飛行場の飛行機を隠す掩体壕である。

湯谷山地下壕（1985 年）

湯谷山地下壕遠景（1985 年）

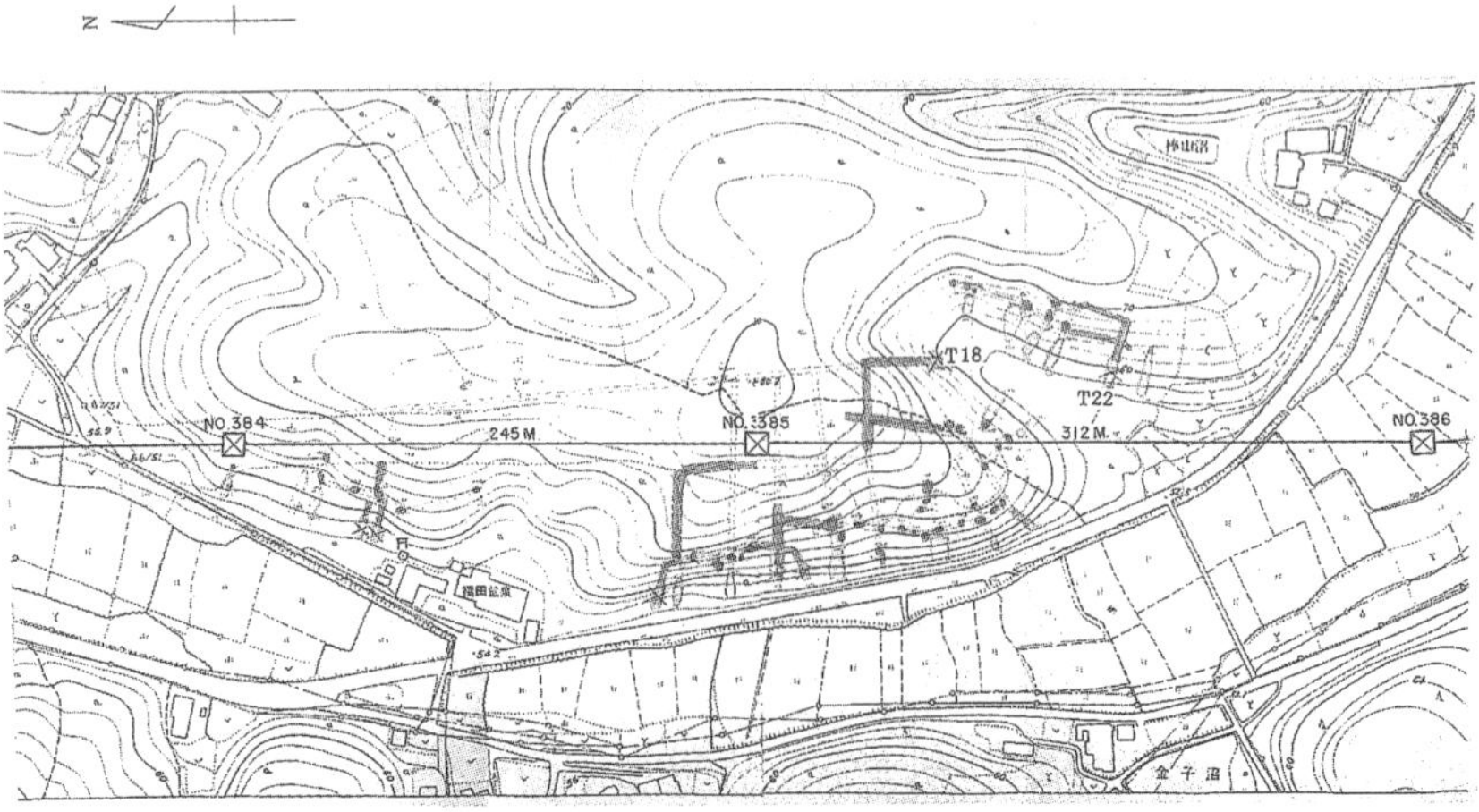

■ 濃い部分は確認できた隧道　二 薄い部分は坑口部分　⁐ 推定の隧道　○ 陥沈箇所　×印は黄黒ロープ、注意札をつけた坑口

湯谷山地下壕平面図（「部報比企 3」）

二七　滑川町ゆかりの人物

①上野茂（大正二年―昭和六二年〔一九一三―八七〕）

上野茂は、埼玉県図書館の父といわれる。埼玉県の教育委員となり、その後、県立図書館の充実や、教育史の編集・刊行、行政文書や村々の古文書・地図・写真の保管・研究をする文書館の創設などに尽力した。県立文書館は、全国で四番目のものであった。

②内田祐五郎（天保一四年―大正一一年〔一八四三―一九二二〕）

内田は杉山村出身の和算家である。晩年は月輪の矢尻に住み、いま根岸家に碑がある。碑の表面には問題が一問表示されている。明治一一年（一八七八）、東松山市の岩殿観音に算額を奉納した。これは東松山市指定文化財になっている。

「内田往延先生之碑

（裏）

夫数之於天下其用広哉近而備於身体遠而満六／合天之高也星辰之遠也苟得故則千歳之日至／坐而可識者非数術何哉于茲有内田先生者通称／祐五郎天保十四年三月廿三日生比企郡七郷村／大字杉山内田喜右衛門之二男也明治十七年三／月四日同郡菅谷村大字志賀為根岸彦九郎之後／嗣矣情自幼温良頴悟而得好数学為嬉戯常玩算／術長而大里郡熊谷町数学者関流入門戸根木与／衛門先生研究数学数年又群馬県之人訪予山剣／持先生之門修暦数之学刻苦精励極斯学之蘊奥／也故被称地方算学之泰斗当時嘖々之有名也故／明治九年会地租改正之挙哉特編輯絵図及杉山／村被命地検担当人也是皆蘊蓄数学之功也故測／量正確而其成績亦良好也云々於茲乎先生高名／聞四方不問遐闇遠近尋来而乞教者接踵其数学／者非訓古之学而已先人未発之術創見要之也其／上者高遠哲学的入思索下者日用之実学及也抑／我国者古来尊儒学故以儒学成名者枚挙雖不遑／独至数学微々不振為攻究者亦稀也蓋雖此実用／学被軽者弊風之所為乎先生資性広記而志操確／実克当時排研学之難夙夜精励高尚広汎達斯学／尽力応用其博識宏辞而又通儒仏之学時而説聖／賢之道矣故近郷人有難解事即就先生求解也先／生為人恬淡磊落而超越之外清廉自持耕於田野／而悠々自適可惜矣時恰際会世態激変之潮漲大／西文化輸入之急流忠也否稀世之酬和算学者甚／不幸可偉材以為被朽圃巷之間鳴於

茲門人等先／生之慕学徳相諮而建碑以為後世之記念而爾
昭和八年晩秋
大塚隣溪撰　篠崎千松拝書」（昭和八年は一九三三年）

大塚隣溪とは、大塚参恵八のことである。

内田往延先生之碑

③大久保福郷（明和八年―弘化二年（一七七一―一八四五））・
福恭（寛政六年―嘉永元年（一七九四―一八四八））・
福清（文化一三年―明治一一年（一八一六―七八））
大久保家の三代は、伊子村の名主を務めるとともに、寺子屋の師匠として多くの人材を教育した。大久保家の庭さきに碑がある。

「文林齋筆冢銘

東京大学教授正五位中邨正直篆額

大久保文暁字子康其先出于藤原氏云子康曽祖曰福郷為人和易謹／直少小好書雖任里正役思於導送簿書之暇筆硯自適扁其室曰文林／其師所命云祖父福恭風流曠達不屑世務邑主命継父職固辞而弗聴／処任而常事操觚亦好俳歌終辞職従容卒歳父福清勤倹静重公事之／余学禅参師又執管哦句以暢性情能不墜家声此三世相承各以筆法／教督郷里児童以故闔郷老少苟為筆墨之用者悉莫弗出于門矣盛／哉頃者子康謂余曰吾家三世相継従事筆技歳月久揮灑多禿筆盈溢／筐簏手沢之所存不忍委之於塵土也因欲卜地埋之碑以不朽之以警／子孫且報毛頴氏之労請銘之余曰昔者智永塚退筆蓋愍其労也詩人／賦甘棠慕人及物也後世并称之今乃祖乃父敗物不忍棄而子之愛及／焉者豈非仁之与孝乎余深嘉其挙妄不自揣為之銘曰

維仁筐之　維考壙之　嗚呼汝功　千載永垂

武蔵　墨鶏松陵英撰

東京　大域成瀬温書

明治十八年二月　　孝孫　　大久保文暁建」（一八八五年）

墨鶏とは、東松山市浄福寺住職の松林了英である。また大域は成瀬大域という書家である。

なお、伊古字麓の大久保家の土地には、伊子村領主（旗本）の初代松崎吉次夫妻と、二代吉忠（忠恒）の供養塔（地蔵）がある。

大久保氏筆塚碑

④大塚龛恵八（嘉永二年—昭和七年（一八四九—一九三二））

大塚龛恵八は、宮前村村長、郡会議員、県会議員などを歴任した。また、甲源一刀流で剣道の指導にもあたった。自宅近くの福正寺に寿碑がある。

「（表）左右社長大塚翁寿碑　印印

古聖丘曰有文事者必有武備要之国家独存左右実行而已左右社長大塚龛恵八翁嘉永二年四月生幼名荒太郎諱隆圓武州赤沼源義仲系吉田讃岐介次子也資性沈毅倜儻学家訓文芸家伝甲源一刀流武術夙萌英達承岩槻高田郡宰之諱為通稱嫺文於了英師號隣渓習書於龍海師拾硯斎云慶応二年候流宗逸見家之門直列目録席翌年襲当月輪藤原名門大塚家明治七年廿六補副戸長十季補小学訓導十三年建剣搏道場公暇教授十六年置左右本社攝社長而擧開典於箭弓翌年由剣槍柔術社長鷲尾隆聚氏被委托比企郡取締是冬秩父暴徒起奉命躬率門下数十人赴鎮戎事平蒙官賞被贈自山岡居士左右額自榊原剣宗杖扇十八年任聯合戸長廿年得知事郡長各町村長志士之賛成設官民練武場於松山充用壮武因献厥剣額于箭弓神社嵩古香平山省斎井上淑蔭三大人亦贈詩歌廿二年任宮前村長廿八年繇武徳会総裁彰仁親王被囑託地方委員廿九年春置左右社支部於東京市郡际教于京北中学独逸協会中学等従新田管長紹剱技要畧入神秘妙伝三十六年被囑托松山警察署撃

剣教授此比年来歴撰郡会県会議員詮任松山郵便局長大正三年六十五歳致仕綜謝公界由来官游
三十余載體国制輯民情功成名遂翁麗朧堅忍克庶物文芸詩書俳章兵法畫図武術家伝无敵武尊神
伝劔槍柔技該覈其意謂澆季流弊文弱武暴矯匡之両道兼修設備不可無奮造詣矣始終於文與師宗
了英寮下吟社詞友嵩古香栗原藹山田端槐洲大久保冰園等春秋会同雅章応和為君子楽於武拯蕩
生家隣保之賊難方居嗣家奪還陥兇手危者註僉文韜武憲七徳之俑焉子弟累筭二千余人而敬神崇
仏奉額五箇所其伉儷間六男一女長男誉田嗣箕裘翁頃来十年超然唫嘯春秋冬東京豆相复則北海
浜逍遥鞠躬会執毎楽花月儘嗜文武偶志士到誨毓不倦抑亦丹誠虔人道也齢七十三状殊矍鑠矣然
而門下諸士茲胥謀欲識偉績彫寿石頌徳行酬師恩謁予於文子辱翁知於是不辭撰之銘曰

文流筆論且競双矩武班畫策豈諼両樞　　信濃散史誉田信道

戦国澆季馴致不具劔翁温本庶幾完軀　　田端宕山応需書　印印

大正十年晩春

（裏）越古希齡茲四載仁人志饒援／建碑精力堅於石幸護二柄不屈魂／隣溪謹書」」

（印は順に隣渓・大塚隆圓・田端高印・號宕山。大正十年は一九二一年）

奓恵八は、明治二一年（一八八八）に甲源一刀流の額を箭弓神社に奉納しているが、大塚奓恵八の名前の部分のほかは風化のためよく見えなくなった。ただし、この額は今はない。また、月輪勢至堂の東面にも、奓恵八の額とされるものが掛かっているが、これは全く読めない。明治三四年（一九〇一）には嵐山町の鬼鎮神社にも額を奉納したという。

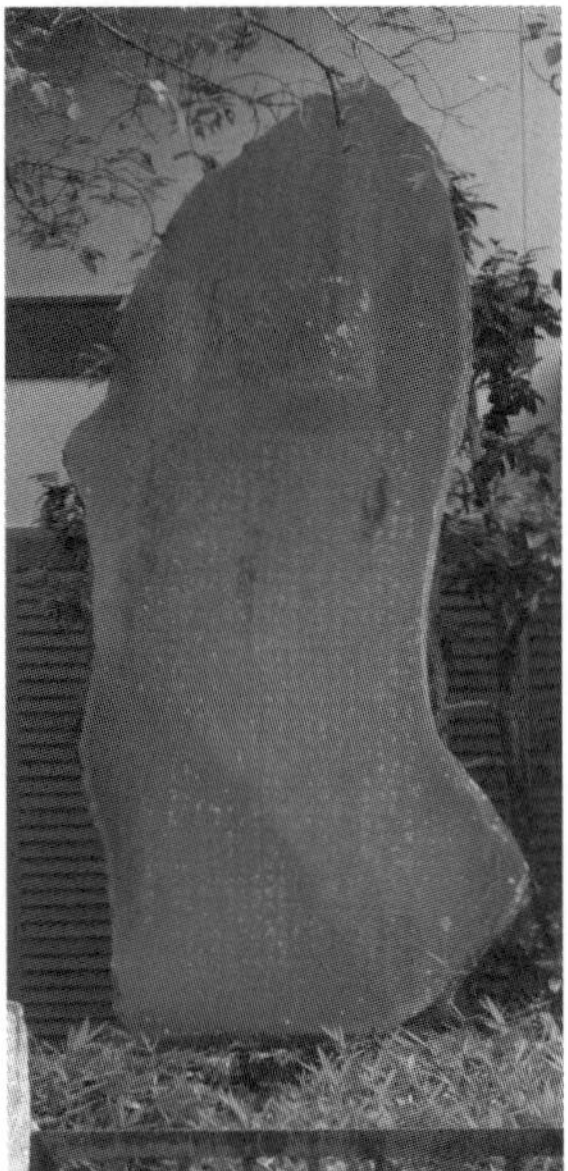

大塚奓恵八寿碑

⑤音羽山（享和三年―明治二年〔一八〇三―一八六九〕）

音羽山峰右衛門は、山田の鈴木氏出身の力士である。一八〇三年に生まれ、二六歳のとき幕下西八枚目に付け出しで登場した。多分、大谷村大雷神社などの地方の相撲で実力を認められ、江戸の相撲界に入ったのであろうという。三三歳で入幕、三七歳で六代音羽山を襲名、三八歳の時に西前頭三枚目となって、これが最高位となった。四二歳で引退。五九歳で雷権太夫を継ぎ、一八六九年に死去した。再婚して渡辺家に入ったので、墓は東京都豊島区高田の南蔵院にある。戒名は浄照院雷音勇道居士という。本名は不明だが、戒名から推測して音蔵または勇蔵とする説がある。実家の鈴木家には、肖像画が残されている。

音羽山の墓（東京都豊島区南蔵院）

⑥海雲尼（?―安政四年〔?―一八五七〕）

祥山海雲尼は、福田字西両表の不動庵に住んだ尼僧である。両表地区のために石橋を九か所寄付したいと言って資金を蓄えていたが、病気のため亡くなったので、その死後、両表中で協力し遺された資金で石橋を作り尼の志を遂げた。この経緯を刻んだ「石橋碑」が、上両表の栗原家の前に立っている。不動庵は大雪のため倒れて今はない。そばに海雲尼の供養塔と、小林三徳夫妻の墓がある。銘文は以下のとおりである。

「（表）石橋碑

不動庵主海雲尼性行篤実能守節倹身／奉甚溥其志欲以所獲檀施修敗橋頽圮／為石以除後来修補之患且便於来往也／惜乎不遂其功而没矣今茲衆以其遺金／改修土圮為石者九所所以成其素志酬／其清苦也衆亦可謂有信也

明治八年二月　靄山識

（裏）比企郡福田邨両表中」（明治八年は一八七五年）

⑦神山岩次郎（安政五年―昭和二年〔一八五八―一九二七〕）

神山岩次郎は、教育者であるとともに、福田村村会議員なども務めた。碑が福田観音わきに

海雲尼由来の石橋碑

ある。

「神山静堂先生之碑

静堂神山先生之碑　埼玉県知事正五位勲四等広瀬久忠篆額

先生諱岩次郎安政五年二月十九日生於月輪武井治兵衛二男也就大塚隣溪内／山仙桂栗原靄
山等修漢籍続福田村神山家明治十二年任福田小学校訓導十七／年為比企郡第十八学区学務
委員三十四年選挙福田村村会議員大正三年以篤／行為比企郡教育会頭所表彰開温故家塾教
育子弟四十有余年矣昭和二年五月／二十四日没年七十有男三人女四人長男夭折二男金助嗣
後先生為人寛裕温恕／接人如春風駘蕩而内毅然持節好学甚於飲食雖寸時于不釈巻而其徳沢
則如時／雨潤閭郷無一人不瞻仰焉其下帷講誦也遠近伝聞執贄者三百人教以孔孟之道／躬行
実践垂範於子弟而不受一毛謝儀或留之膝下自扶養以使修学焉連講筵者／常数十人絃誦之声
洋々響近隣焉又能属文巧詩也嘗誡子弟曰人之留名也二道／而有難易矣不離道留与離道留也
道則是公公則是道心故難矣不道則是人心人／心則是私私非無為有為之留也故易矣欲使吾全
道則勿令有為以留声名於後世／有為則文所固不悦也垂人口碑以是為足口碑則無為無為則質
吾尚是質所固欲／也可以見先生之超然於名利之外而求道之篤也嗚呼輓近世道委靡人心頽廃
人／人名利惟之汲汲而道義之念将払地矣高潔如先生不啻裨益地方風教也百世之／下使頑夫

廉懦夫起矣宜乎郷人追思不已将勒其高風於金石以伝後世也有為之／留雖先生之所固不悦而郷人欽慕之至情敢為之者蓋先生徳沢之所致即所謂以／道留名者也
銘曰　学博徳高　誨人不倦　麗沢千秋　洽潤郷隣
昭和八年歳在癸酉十二月　春川松崎嘉一撰書
中村茂三郎刻」
（一九三三年）

神山岩次郎の碑

⑧神山熊蔵（文久三年―昭和六年〔一八六三―一九三一〕）

神山熊蔵は、教育者であり、福田小学校の校長などを歴任し、また『福田村郷土誌』を書いた。霊湖と号した。碑は福田小学校にある。

「神山熊蔵先生彰徳之碑
埼玉県知事　栗原浩題額
少年少女の楽しい日を重ねた学園は忘れえぬ心のふる里である蛍雪の窓と柳影樟蔭の庭に懐か／しい思い出を抱くこの校の卒業生はそれにも増して神山熊蔵先生の面影を瞼にえがく人／々が多いと思う前後三十五年と云えばみどり児も主人となり主婦となる長い歳月を

この校／数千の教え子一人一人に心血を注いで魂を打ち込みその成長を見守り成人後も相談相手とな／ってこの村の良い生活を築いた思えば先生の生涯は尊い日々の連続であった文久三年この地に生まれ／明治初年学びの道に入ったが傍ら素読を栗原靄山翁に受けて明敏の質を伸ばしたそ／して十五歳の時に東京に出て二松学舎で親しく三島中州先生から経史経文を学んだ先生の運／命を決したのがこの遊学で教育を終生の使命としたのも架蔵万巻の宝に読書詩作を楽しん／だのもその四年間に培われた精神の発露であるかくて明治十五年に帰って福田小学校で教育者として／の第一歩を踏み出しついで二十一歳で校長となったしかもこの青年校長が情熱を傾注した十五年間／の成果は著しく日々師弟敬愛楽園を実現した同三十一年招かれて山梨県山梨郡視／学となり同三十三年所沢小学校長に迎えられたのもその令名によるのであるしかし先生の素志は一に郷党／子弟の育成にあったので同三十六年懇請に答えて再び福田小学校に帰ってそれから二十年その円熟した人／格と透徹した信念で至誠一貫温かく教え子を包容して慈訓を垂れ徳風は四周に及んだ加うるに論談／風発憂国の至情をもって世論を導き閑暇あれば書中に聖賢を語りあるいは詩趣を愛して楽し／んだので遠近高風を仰いで慕うこと慈父のごとくであった大正十一年功成り名遂げて閑地についたがなお老／を忘れて郷党公共のために尽した昭和六年三月一日古希に先立つ一歳で挙村痛惜の中に光輝ある生／涯を閉じた先生逝いて二十六年ここに遺徳を

慕って碑を先生の立功立徳の地に建て師徳の高き／を永遠に彰わす企てが起り文を余に求めた余もまた先生を恩師と仰ぎ先覚と敬う一人であるよっ／て謹んで先生の事略を述べ并せて有志の感恩の美挙を記すものである

昭和三十二年十一月　　下山懋誌」（一九五七年）

下山は綴り方教育の指導者として知られる人物である。

神山熊蔵の碑

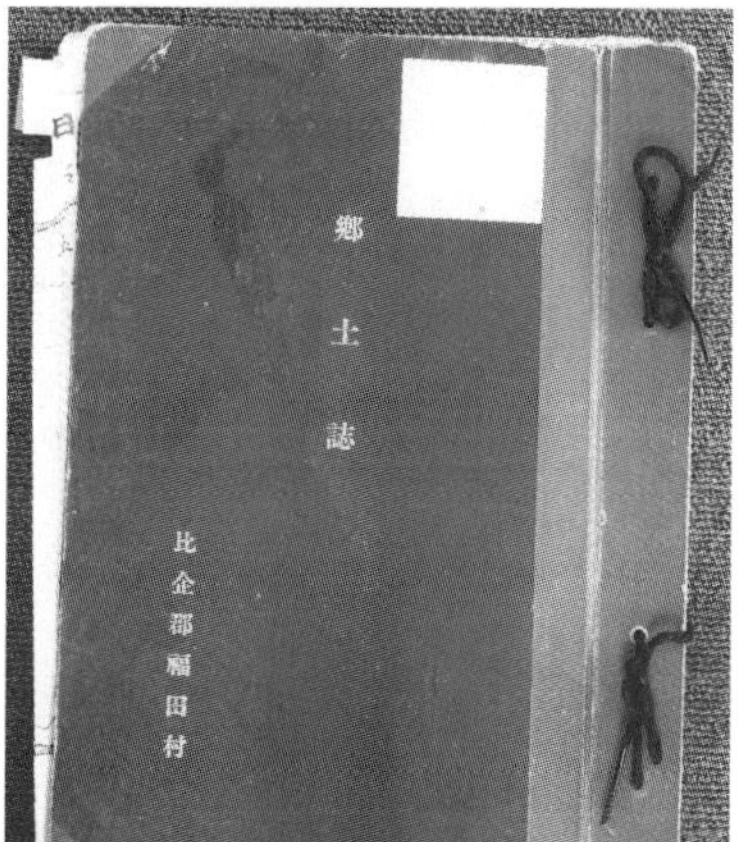

福田村郷土誌

次に、熊蔵の遺稿集に未収録の文章を紹介する。これは、下福田の熊野神社に奉納された額の文である。

「泛舟於八雲池記

八雲池在我郷八雲神祠之傍俗称大沼周囲半里蓋四隣不多見之一大池也是以釣人墨客之来遊常不絶予寓此地一十又余年矣而為塵魔所覊未果舟遊常以為憾焉今茲己丑之夏与快士数輩遊焉会炎蒸如燃不可泛舟乃於樹下買酔就眠眼覚則夕陽在水涼影可掬於是携酒与肴泛一葦於八雲池之中火是日天朗而気澄風清而水澹上下天光一碧万頃不見其際涯水禽或飛

或浴隠見碧波之間奇譎変幻不可
名状而転眸則秩父之連山起伏於
烟靄縹緲之中如雲如霞如有如無
景勝千万瞬間頓換於是乎蟠欝磅
礴之気乍融乍散心胸濶然連声呼
快洗杯復酌焉而不知身何地実人
古之快楽於是乎極矣時清風徐来
金波灩瀲蹙舟而生恍如浮黄金海
亦偉観也余曰聞髯蘇赤壁之遊高
風独歩於千古然有一弟子由耳今
明快士団欒肆幽情於風月唱酬之
間其興其快彼奚及哉但憾不能使
子憺起於九原以誇示此遊一厘輾
然笑而着帰路時明治二十二年八
月

霊湖神山隈三識印印

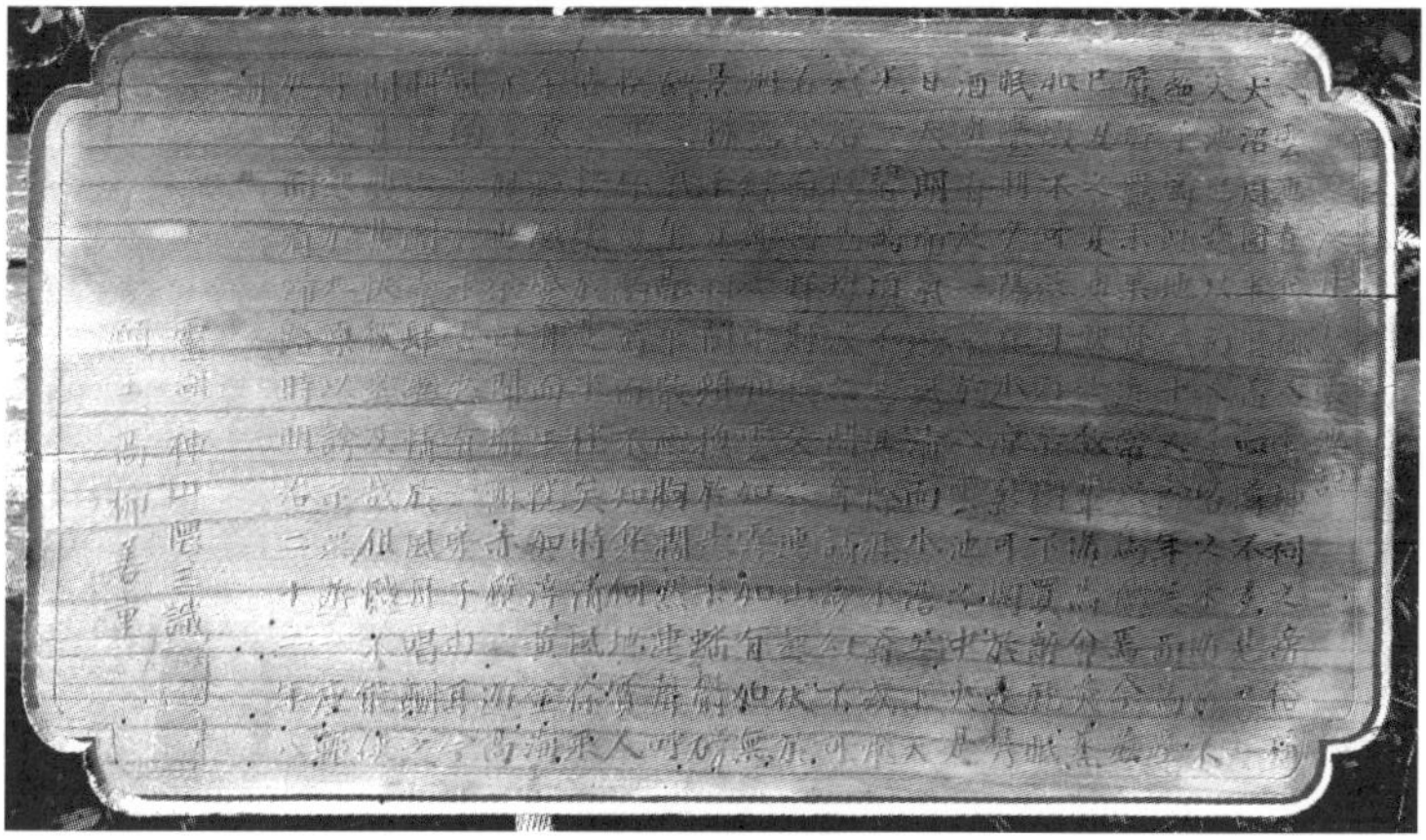

熊野神社奉納額

願主髙柳　善重」（一八八九年）

八雲池とは福田大沼のことである。大沼に船を浮かべて遊んだ情景が表現されている。

ちなみに、熊野神社には、水戸家家老中山信敬が一八〇二年に書いた「熊野大権現」の額もあり、「享和二年壬戌十月五日己卯書之／備中守従五位下丹治真人信敬」とある。

なお、福田小学校には、明治時代にこの場所に校舎を新築したことを記念した碑もある。内容は以下の通りである。

「福田学校新築之碑

埼玉県知事従三位勲四等男爵千家尊福篆額

滑河之北白甍聳雲絃誦之声琅然常聞是為新築福田学校焉斯校旧以廃寺若民家充之堂宇陋隘管理不整邑長栗原君寿良深憂之諮新築之議於村会討議一同直決君乃興新築委員親暁諭奔走周旋依以継略闔村四百五十有余戸翕然翼賛人争出金幣以資之終至一千二百有余金乃卜地於福田村中央明治二十六年五月起工至十月告竣焉鳩工一

千有余役夫八百有余其位面陽成丁字形規模宏壮結搆牢
固接賓有全執務有房前則庭園敞豁西則遊息之場井々秩
々排置適法百事悉備蓋足雖因斯土風俗之美抑亦由里正
委員率先尽力之功也嗚呼有斯人而有斯学有斯学而有而
人則将来教化之進可知也矣頃有志之志胥謀欲碑以垂諸
不朽来徴余文仍叙其梗概如此

埼玉県比企郡長正七位勲六等鈴木庸行撰

槐洲田端靖卿書

明治二十九年八月」（一八九六年）

⑨栗原靄山《あいざん》（天保一〇年―大正七年〔一八三九―一九一八〕）

栗原靄山（芳太郎）は、教育者であり、また福田村村長も務めた。碑は福田観音のそばにある。

「靄山栗原翁寿蔵碑

埼玉県知事正五位勲四等岡田忠彦篆額

中武有隠君子曰靄山栗原先生名章字芳太郎世居武蔵国比企郡福田村／狷介自守不与世俯迎
平居講聖賢之学而体道義之粋初従権田春潮寺門／静軒修経史後就小畑詩山大沼枕山学詩文
並有造詣又入松林墨鶏和上／之淡成唫社与嵩古香田端槐洲大塚隣溪等相唱酬其高風灑落亦
可以想／見也明治六年福田村建学聘先生為教師先生孜々誘導其徒大進後為里／正処事縝密
一郷莫不被其沢者三十四年罷職創克己吟社爾来十有余年／薫其化者数百人名声与古高槐洲
隣溪諸翁並噪於中武先生為人廉直勤／倹治産富冠郷曲今茲齢七十有九而矍鑠益壮隠然為郷
党師表矣頃子弟／胥謀欲建寿蔵碑以報其徳求文于子達子達亦嘗受教者不可以不文辞謹／叙
其梗概係之以銘々曰
　一郷向文　維誰之力　偉哉先生　克称其職　老而不衰
　為郷党則　子弟樹碑　爰報其徳
　　　　　　　　　　　　中武　霊湖神山子達撰
　　　　　　　　　　　　同　　槐洲田端靖卿書
大正六年十一月」（一九一七年）

霊湖子達は神山熊蔵、槐洲は小川町下里の儒学者・書家である。

墓碑銘

「（表）天章院聯芳靄山居士

（裏）先生諱章称芳太郎栗原氏靄山其号世居武蔵国比企郡福田／村父諱總吉称太久平母小林氏先生生天保十年正月十日歿／大正七年三月六日寿八十葬先塋妻坪井氏生五男一女長子／曰嘉範嗣家先生狷介守不与世俯平居講聖賢之学而体／道義之粋初従権田春潮寺門静軒修史後就松林墨雞大沼／沈山学詩文並有造詣明治六年福田村建学聘先生為教師先／生孜々誘導其徒大進後為村長処事縝密一郷莫不被其沢者／三十四年罷職創克己吟社爾来十有余年薫其化者数百人名／声澡於四郡嗚呼有斯師而有斯学有斯学而有斯師則一郷向／文可知矣頃嘉範欲碑以垂不朽求文于子達乃為叙其梗概云

大正八年三月　　神山麗湖撰

（右）大正七年三月六日歿行年八十齢俗名芳太郎」

栗原靄山の碑

⑩栗原正一（明治三五年―昭和六三年〔一九〇二―一九八八〕）

栗原正一は福田の出身で、薬剤師となり栗原弁天堂という薬局を創立した。戦後の熊谷の復興に尽力し、また県会議員・県議会副議長・熊谷市長にもなった。

⑪栗原辰右衛門（？―文化一〇年〔？―一八一三〕）

栗原辰右衛門は、小川町の和算家である杉田久右衛門が江戸の至誠賛化流の和算家古川氏清に入門する仲介をした人物である。福田村の和算家で、小林三徳より歳上の人物である。杉田久右衛門の初めの和算の師であったという。墓石では文化元年没となっているが、他の資料から文化一〇年（一八一三）が正しいことが分かっている。道光覚算庵主というのが辰右衛門の戒名である。

墓石銘

「（正）

道光覚算庵主

夏雲一了信士
(右)
施主栗原吉右衛門
文化元甲子二月十三日
(左)
文化三丙寅六月初五日」

碑銘

「道光覚算庵主之碑
距今弐百有余年生庄左衛門之弟即庵主也通称辰右衛門幼有高趣殊於算学不習而既謂有胸裡蓋然天稟所乎
為人無欲恬淡不求利達一意当門弟之教導又好而飄々乎遊歴於諸国敢無求仕之心其盛名某大守為所知将聘用邪推挙門弟辞而不食禄

栗原辰右衛門の碑

以可知其一端也
昭和聖代之初頭皇都淀橋編者三上義夫者来
訪予求庵主之資料此著述遂浴天覧之栄庵主
之霊莞爾享此余栄哉
昭和廿六辛卯三月
栗原田夫撰文並建碑」（一九五一年）

⑫設楽羽山（秀珍）（文政一一年―明治一五年〔一八二八―八二〕）

設楽家は、江戸時代には本山派修験金剛院といい、修験道であったが、明治以降は羽尾神社などの神官をつとめている。代々、塾（盈科学舎）の師匠として教育に尽くした。なお、羽尾神社の「鎮護宮」の額は愚禅の書であり、拝殿内部の「羽尾神社」の額は毛呂本郷の国学者権田直助が書いたものである。また、幟も権田の筆である。羽山の碑は設楽家前の琴平神社にある。

「羽山翁筆塚

凡世に身を立道を行ふひと文により武に就く大方のならひなるを／羽尾のさとなる設楽羽山翁は役君のなかれにて嶮しき葛城の九折を／攀轟なる高嶺の青雲を凌ぎ只顧験がたの術を勤み家にある／ほとは彼二道をもて郷人と交らひ詩に志を慰め風流ことを楽みとせら／れたり明治のはじめ御世の制により兜巾鈴懸を冠飾にあらためて／郷社伊古神社に奉仕り教部省の命により国教を四方にしめし／また郷党の少幼に書読み筆とるわざ誨へ壮者に三条の教憲を説聞／かせ自も猶広く国典に渉らむとして嗣子賢木主を伴ひ我葎の／門立なをし旁敷島の道を慕ひ代々の詞の林をわけ楢の葉の高き梢／を仰くもとより物に聡き本性にしてはつかのほとに其さかひにいられたり／一日風快き牖のもとにてうるはしく筆さしぬらして

むかしおもふ声音そ霞むかつらきや高間のみねのゆふ雲人に賞て／わかもとに持来ていかで翁の年月の有やう記してよ我抒真心を戮せて筆塚／営まむといふに年比隔なく交らひたる故をもて需るままに聊書識すになむ

底ふかき硯の海にうかひ出る玉のひかりは世々ににほはむ

一條忠貞篆額　前大学教官藤原淑蔭撰高林二峰書

（裏）

常に書きすさひ給へる物をとり集め埋ミてその学ひたる人々心を戮せてしるしの石ふみ営

ける明治十五年三月中旬なり

末遠く千世に八千世に流るへし巌にそゝぐ水茎の跡

男設楽賢木」

（一八八二年）

藤原淑蔭とは井上淑蔭のことで、坂戸石井村出身の国学者である。

設楽羽山筆塚碑

⑬竹二坊（宝暦九年―天保六年〔一七五九―一八三五〕）

竹二坊は、五道庵・光谷自得とも称した。福田の権田氏の出身で、江戸に出て伊賀藤堂侯の侍医をしていた。目を悪くし辞職して、文化八年（一八一一）福田に戻り、俳句の師匠として多くの門人を育てた。美濃派である。伊古神社に雨乞いの碑がある（本書一二の項）。野原の文殊寺には、芭蕉句碑・芭蕉翁塚の碑を立てた。『芭蕉翁正伝』の著作がある。また栗原次郎兵衛の『奥羽紀行』の序文や加田薬師俳額の前文なども書いている。福田字大ケ谷戸にある庚申塔（七庚申）に碑文を残している。碑文は次の通りで、裏面には光谷自得の名がみえる。

文殊寺芭蕉翁塚の碑（熊谷市野原）

「余聞祭七庚申者必得七福焉于茲得七
庚享七申者七人已七会終而勒石以建
於此冢上称七庚申焉塚亦復旧矣
文政五壬午臘月廿日　　五道莽識」（一八二二年）

竹二坊七庚申

また、江戸の国学者清水浜臣が書いた『都支山日記』（文化一二年：一八一五）には、浜臣が越生梅林（古池）に向かう途中に竹二坊の自宅に立ち寄った記述がある。その前後の部分を抜粋しておく。

「去年の冬、熊谷のすく近き福田村なる光谷自得かもとより消息して、おのかすみかいくらもさらぬ南古池の里といふ有、梅いとおほき所なり。杉田にもおさ〳〵おとらし、いかてこん春は思ひたち玉へかしといひおこせたりき。年あらたまりて正月もすきぬ、いさや古池の梅も見ん、慈光山へもまうてんとて、梅の盛このほとゝ思ふにおもひたちぬ。涅槃会にひと日おきての暁なりけり。（中略）熊谷寺といふに直実入道の墓あり。宝物ともこれありときけと、させるゆかしき物にもあらねは大かたにて出て、原口某かもとをとふ。光谷自得か心しりなれは、福田村への道くはしくとひきかはとてなりけり。竹井兄弟をもとへるに、兄の新右衛門は此ほといたつきありて床のうへはなれねは、弟の千蔵信真といふか出むかへてよろこひかたらふ。こは周之に歌ならふといえり。石印ゑることをたてゝこのむなり。此ころは太刀合せの道に心いるゝよしいふ。兄は茶の道このむみやひ人なり。こゝより南へおれて四五町ゆけは荒川なり、隅田川の水上なから春またあさくして水深からす、冬より春へかけては土橋をわたせるのみなり、此川より南は男衾郡なり。村岡を経て、野原村といふに文殊寺といふ有、いとふりたる寺なり。昔はいつくにか有けん、こゝにうつされて三百五十年あまりになりぬといへり、むかしは天台宗なりしに、今は禅宗となれりといふ、鐘は寛延年中に鋳たるにて、何のゆかしけはなけれと、法華経全部六万九千二百八十四字をこと〳〵くゑりつけたるかめつらしきなり。大きさわたり二尺余、高さ三尺五六寸も有へし、野原村を過きて、南ははや比企郡なり、小高きおかひとつをのほりくたれは、二十間に五十間斗ややあらんとおほゆる溜池あり。水いと清くてあをみたるは底深きなるへし、岸に松あまたなみたちて芝生いと清らかなり、江門淀橋のかたへなる十二社の池によく似たる所なり、こゝより福田村なり、むかひよりくる村人にとひきくに、かかる池此村にのみ百六ありといふ、田へ引かくるためにまうけしなりとそ。此村のひろさ思ひやるへし、大よそ一里にわたるとかや、日くるゝほと光谷自得かふせいほにたとりつきぬ、自得か庵は兄の権田伴右衛門といふか垣内にあり。伴右衛門は父の世まては村長なとなしたれは家居むね〳〵し、されと近頃はおとろへしなるへし。心あるおのこにて、とかくけいめいに心かきりなるあるしまうけす、自得によみてあたふ。

かくれかの春とひくれは花鳥の色さへ音さへよににさりけり

さゝ竹あめる垣ねのもとに、梨の一木あるか花のころ思ひやられて

竹垣によのうきふしをへたておき思ふことなしの花やめつらむ

十九日。天気よし、今日は古池の梅みんとて出たつ、自得と芝山とあなひす。芝山といふは此村のさとおさの子なり。絹あきなふとて江門へ常に出くるか、おり〳〵はおのかもとへもとひくるものなり。おのれは足いためたれは馬よりゆく。なめ川をわたれは伊古村に伊古乃速御玉比売神社おはせと、かちよりゆかねははるかにふしおかみて過ぬ。中尾を東に見て、水房、太郎丸、杉山なといふ村を過て川をわたり、四ケ村を経て平沢村不動堂にいたる。」

竹二坊・光谷自得・周之は、みな同じ人物である。芝山は牛歌（栗原次郎兵衛）の父と思われる。

⑭**堀口亀吉**（安政元年―明治四三年〔一八五四―一九一〇〕）

堀口亀吉は、農事改良に尽くした人物で、福田の円正寺裏に碑が立っている。

「堀口亀吉君碑

堀口亀吉君之碑　　従三位勲一等男爵渋沢栄一題額
福田邨在埼玉県比企郡其民勤農桑貯貲財安富和楽自得
於畎畂之間邑有勉農組率以勤倹故能如是而堀口君亀吉
与有力焉君天資温篤致意殖産竭力民事明治三十八年創
設勉農組躬為之長指画有法奨励得宜荒蕪日闢貯金月増
旁邑視為模範翌年人興信用組合選為理事費省而用贍人
皆便之君世農少熟稼圃又精蚕繭及長拓地植桑拮据繅織
所製絹絲以精良名他若養豕養魚亦皆有効績蓋君之於封
殖不私諸己而以視公利是以為人所依信所歴公職福田学
校学務委員邨会議員区会議員農会副長皆称其職実褒賞
不可勝数也以明治四十三年五月七日歿享年五十七勉農
組追思其徳建石図不朽属余記其概若此庶幾可以勧郷人
矣　　　　　早稲田大学教授松平康国撰文
　　　　早稲田大学教授杉山令吉書丹
明治四十五年歳在壬子三月建」（一九一二年）

堀口亀吉の碑

⑮宮崎貞吉（明治一一年―昭和二五年（一八七八―一九五〇））

宮崎貞吉は、中尾の出身の教育者であり、菅谷小学校長・宮前小学校長などを歴任した。また『宮前村郷土誌』を書いた。今の滑川幼稚園の庭に碑がある。

「寿無量　玉州題

宮崎貞吉先生頌徳碑　陸軍中将四王天延孝題額

宮崎貞吉先生は北洲と号し明治十一年の春武州宮前村／中尾の名主の子として生まれた厳

父国造氏は剣道に達／し文事の躾も亦甚だ厳しく貞吉君は七才の時論語を／暗記させられた君は幼より才智人に勝れ夙に政道に／開眼し頻りに板垣退助翁を賞讃して同輩小学生を驚／かした埼玉師範学校の創立を見るや英才教育の要に／醒め進んで之に入学し優秀な成績を以て業を卒え直／ちに郷土の諸学校に迎えられ燃ゆるが如き熱意を以て／教育に尽瘁しその後諸校に長となるや天賦の才能を／発揮し地方一帯の父兄子弟の信望益々厚きを加え徳化／四隣に及んだかくして三十余年教育の重責を全う／した後四衆に惜まれつゝ道を後進に譲り博覧強記の資／質と文学愛好の天稟に恵まれて詩歌に奇才を揮い一／代の英傑徳富蘇峰犬養木堂頭山満の諸翁を始め済々／たる多士と交を厚くし其の視野を拡げ愛国憂世の／熱情は哲学宗教の広野を跋渉するに至った昭和十八／年天主公教の洗礼を受けて弥ゝ大なる立命観を得た晩／年七人の子女に最高教育を施し終わって居たが戦争の／ためその四人を失い元来素封家であった君も制度環／境の激変に逢って土地の大部を失い現実大なる不遇／に陥った而も意気少しも沮喪しなかったのは齢耳順／に及ぶまで読書修養を怠らず克く教育者の本領を堅／持し物質を離れて精神に生き真に敬天愛人の実践を／旨としたからである殊に基教約百記の教える神与え／て神之を奪うという万物流転の真理に徹したためで／あるその臨終に近づきおれは恵まれ者だと子息に告げ／たのは偉大な信念の発露である君は啻に生きて四／隣を徳化したばかりでなく実に無量の寿を留めて必／ず永

く郷党を照すであろう君の教え子各位の乞に応／じて不文を撰んで頌徳の一助とする

昭和三十三年四月

陸軍中将正四位勲二等功五級四王天延孝撰

松崎嘉一書

野口金吾刻」

（一九五八年）

宮前村郷土誌

宮崎貞吉の碑

⑯宮島新三郎（明治二五年―昭和九年（一八九二―一九三四））

宮島新三郎は、月輪出身の英文学者・文芸評論家である。『早稲田文学』編集員・早稲田大学教授となった。墓は多磨霊園にあるというが、私は行ったことはない。

⑰鳴水毛受《めんじゅ》雄也《おなり》（文政一三年―明治二七年（一八三〇―九四））

毛受雄也は、名古屋出身の漢学者で明治維新後に縁あって滑川に来て住み着き、多くの門人の教育にあたった。初め、設楽家の盈科学舎で教えたが、のちに羽尾字山屋敷に塾を建てた。近くにチョウエンドという屋号があるが、重淵堂というのがこの塾の名前だったかもしれない。墓はその少し東の緑道の脇にある。

「鳴水毛受先生墓碣銘
名護屋毛受氏者柴田氏傑臣荘介諱重政之適胤也仕于尾／藩為名家其九世孫曰佐兵衛諱重斐
掌小納戸近侍君侯先／生乃其次子先生諱重徴号鳴水通称雄也其学室曰盈科別／立家以文学
仕于郡上青山侯明治廃藩後一旦慨然自退曰／吾不復任世務矣其師承行履従軍従政之事嘗写
小影具自／記其上云晩年偶游於武之羽尾里人抃喜争就請教先生亦／不多拒諄牖懇誨必竭其

端暇則瀬釣皐嘯優々如有古隠士／之風焉明治廿七年三月十五日病卒年六十有五葬於里北／
丘側既而弟子等具石以竢其三子京以兄真之命来見曰敢／請銘慶謹諾之乃作銘曰
傑臣之裔凛其家軌決然勇退可以媿死天下之軟士
明治廿七年第六月　武陽　中島慶撰并書丹
（裏）
明治二十七年六月門人等謹建之」（一八九四年）

中島慶（撫山）は、作家中島敦の祖父である。

鳴水毛受雄也の墓

⑱吉野米三郎（嘉永六年―昭和一三年（一八五三―一九三八））

吉野米三郎は、杉山村の出身で、内田祐五郎に算学を学んだ。水房の吉野家の養子になり、地租改正・農事改良にも力をふるった。明治八年（一八七五）、野原の文殊寺に算額を奉納したが、焼失したという。

吉野米三郎墓誌

「米嶽勉務居士

十三代目吉野米三郎
本郡七郷村杉山初雁辰五郎次男
嘉永六年丑年十一月十日生
昭和十三年十月廿八日没
昭和十四年十月廿八日建
施主吉野俊一

ありかたき恵みを客に老の身も今日の喜の寿そ
楽しかりけり　勉務（花押）

一首天与の恩恵を感謝す此思想は中年私淑せし尊徳先生より受け青春時代は根岸翁に師事し深くも研鑽は天文暦数に及ふ算数に琢磨せし頭脳は近世哲人の説を体し思潮の実現は農桑の研究となる短冊苗代正条植明治二十四年自宅に私設農会稲繭品評会開設実に本県主催立毛共進会に先立つ十年也宜なる哉帝国一致協会は有功同盟員に推挙大日本農会は総裁の宮殿下の名にて名誉賞状を賜るかくて初代農会長として農村宮前の名天下に喧し同三十六年本県宮殿下揮毫優勝旗制定模範農会を表彰するや本村農会率先栄に浴す大人は七郷村名門初雁家の門葉に生れ明治十二年吉野家に入る嗣なし同家外孫俊一子を容れ令孫堂に満つ晩年清福酒と孫とに親む昭和十三年十月廿八日没享年八十六

宮前村の尊徳として里も大人も幸多かりしその若き日々
昭和十四年十月中院　宮崎貞吉敬撰」（一九三九年）

根岸翁というのが内田祐五郎のことである。

二八　その他の史料

①中尾権現谷の布目瓦・銅器

中尾の権現谷（小字清水）に布目瓦や銅器の出る所があり、古代の寺跡と推定できるが、今は何も採集できず、遺構も見当たらない。権現沼の北西辺りであるが、謎の遺跡である。今後の解明が期待される。

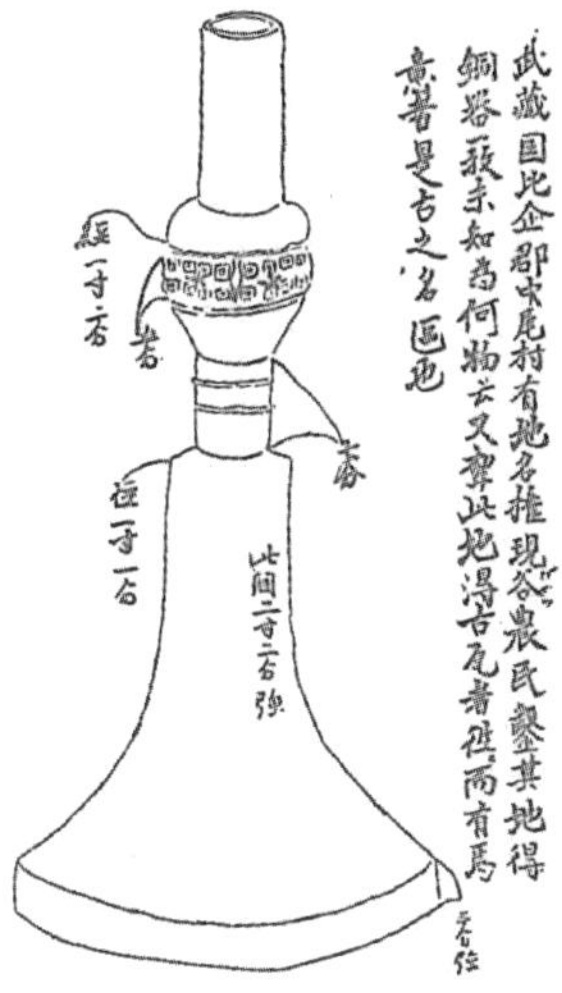

武藏國中尾村の銅器

中尾村銅器
（「日本考古学・人類学史　下巻」）

『武蔵志』の比企郡中尾村の項に、

「権現　当社往昔大社（ニテ）境内ニ塔ノ
名　又門ノ名在テ辺ヨリ古瓦出ル　形国
分寺瓦ニ等シ　硯トセシ人モアリ　今ハ
神名モ絶テ権現ト斗リ土人唱奉崇ナリ」

とある。

一方、考古学者清野謙次の『日本考古学・

人類学史下巻』には、「武蔵国比企郡中尾村権現ガ谷より発掘せし銅器」の項があり、次のような説明がある。

「『古図類纂』の乾巻に次の如き図がある。発掘地が古墳なりしや否や不明であるし、古墳発掘品とすれば異形の漢式支那銅器である。発掘年代は明記してないが、図の挿入順序から考へて寛政頃らしい。器の全長は記してないが、局部的に記入せられた寸法から計測すると七八寸らしい。傍記説明は左の如くである。○武蔵国比企郡中尾村有地、名権現谷農民鑿其地得銅器一枚未知為何物云、又犂此地得古瓦者往々而有焉、意者是古之名区也」

②羽尾興長寺出土古銭

一九六〇年ころ、本堂の南の竹やぶの辺りに犬を埋める穴を掘ったときに、甕と古銭が出土したという。古銭は私が見たときは六五枚が一緒にしてあったが、構成を見ると後から混入したものを含む可能性がある。内訳は次の通りである。大部分は一〇～一二世紀の北宋銭であるが、唐銭・南宋銭をふくむ一三世紀までのものに、清（一八世紀）の乾隆通宝と江戸時代の寛永通宝が加わっている。乾隆通宝と寛永通宝が混入ならば、一三世紀後半以降の中世の蔵骨器、または経塚だったことも想定される。

開元通宝　四　至道元宝　一　祥符元宝　三　祥符通宝　一　天禧通宝　一　天聖元宝　二
景祐元宝　三　皇宋通宝　八　至和通宝　二　嘉祐通宝　一　治平元宝　一　凞寧元宝　五
元豊通宝　八　元祐通宝　五　紹聖元宝　一　元符通宝　二　聖宋元宝　一　政和通宝　三
慶元通宝　二　淳祐元宝　一　乾隆通宝　一　寛永通宝　一　不明　八

ちなみに、伊古字厳山から六枚の唐・北宋銭が銹着（錆で密着すること）して発見されたことがある。これは中世墓の六道銭と思われる。内訳は、開元通宝・淳化元宝・皇宋通宝・元符（祐？）通宝・元符通宝・政和通宝各一枚である。

③福田真福寺宝篋印塔

一四世紀の宝篋印塔が再建前の観音堂の礎石に転用してあった。板碑・宝篋印塔・鰐口からかなり古い寺であったことが分かる。

（1）嘉慶戊辰二年／十一月六日／施主革巾（一三八八年）

（2）一霊不昧／廻出生死／之昏衢／八識眠然／契春禅尼／踏八正菩／提之跌塔／三空解脱門

明徳二年／辛未仲春九日／速登般／若之岸（一三九一年）

④山田豊濼検校宝篋印塔

山王の阿弥陀堂の前にある。高さ約三・二メートルの立派な塔である。法華経により難を逃れた話がつづられている。

「武城礫川有豊濼検校者／同州比企郡山田邑之産／幼時因病雙目失明自識／前業所感専帰三宝唱光／明咒誦普門品有年于斯／豊濼嘗在神田之日与伴／出過城郭誤陥溝洫溝洫／水深数尋自惟卒不可出／合掌三称念観世音頃之／不図浮出水上幸触畳石／以手固執時伴高声告盲／人陥溝洫疾家之吏聞之／遽然下梯救之使免又豊／濼一日率伴取路徐徐過／陌有故訣伴行裁数歩時／一狂夫奔遂揮白刃撃彼／伴当此時亦得免不啻神／咒之福不唐捐抑亦大士／智力与無畏施者歟深信／所感足可随喜或教豊濼／誦普門品以満三十三万／三千七百余巻則当読誦／法華経一万部之文字数／豊濼齢過不惑曰誦三十／三巻居諸積功殆垂三十／万巻庶幾白業自今而後／尚無有懈満宿昔志云今／茲乃春建宝篋

山田豊濼検校宝篋印塔

印霊塔於／山田邑心在欲供養所作／善根以廻向三菩提自利／利他自来請予書写神咒／安諸塔中因記造塔縁由／夫制底者諸仏全身万徳／所聚一礼一遶消億劫罪／供花供香生諸仏家神用／難思如経云云所希以斯／鴻業本願檀主抜無明根／開五智眼先凶禁魂断有／漏結入一如宮　　皆／明和六年己丑春三月／武江府宝林山霊雲密寺／第五世苾芻光海識／同州比企郡大谷邑宗悟／禅寺霊峯智源慶賛供養」（一七六九年）

⑤山田東光寺棟札

東光寺は、今は山崎城の東に薬師堂と墓地が残るのみであるが、遅くとも江戸前期には存在したことが裏付けられる。

（1）　（上半）□旨　行年卅捌　武州比企郡松山郷山田村
于時明暦四天戊戌ノ六月十九日
実仙
別当
医王山東光寺現住

（下半）次良左衛門　次良右衛門　理右衛門　作左衛門　長左衛門　喜右衛門
又八衛門　藤右衛門　六左衛門　惣左衛門　長右衛門　半兵衛　七左衛門
賀兵衛　行人
其外男女欽言（一六五八年）

（2）寛政二戌歳十二月吉日
武州比企郡大谷村
大工棟梁平蔵
弥三郎
成次郎
萬次郎
左次郎
□□（一七九〇年）

これ以外にも、元禄一〇年（一六九七）から明治九年（一八七六）までの位牌など一一点が残っている。

⑥羽尾千体地蔵棟札

千体地蔵は、堂が壊れたため本尊が興長寺に移されていたが、表の人びとの希望によって、今のように元の場所に安置されたという。子育て千体地蔵ともいう。

（1）（表）明和丙戌年冬十一月穀旦萬勝山興長二十世　愚禅叟代
奉移請千躰尊並堂宇講中依二十餘輩修功再安置此舊地
武州比企郡羽尾邑面郷中善男女等　謹白（一七六六年）

（裏）本堂由来在此地昔年興長五世中山和尚奉請寺中于茲復今春面郷中擧而欲再建此旧基依方旧因縁而則移易漸霜月入尊供養仍書焉付棟梁上云云
本尊再色者天保十二年子二月十一日ヨリ廿五日相仕舞則廿八日開眼致者也　此時世話人
田中貞吉重兵衛（一八四一年）

（2）（表）蓋惟昔日千躰堂及破却故引移万勝山而令安置数年来其後復堂組堂宇再建而奉請本尊地蔵尊千躰木像入佛伸供養亦茲再三月日相立本尊身躰及敗壊而不得止復々勠心再色戸張成就於茲堂地年貢諸役以来堂行組而三穴以上納可到支殊諸交割不埒無之

様名主下役相立合堂記諸吏相改置及後来何吏不限此方相窺筋違等一切無之様急度
可相守申渡置者也　現興長見宗敬白
（裏）維時天保十三壬寅星
表郷　堂番衆中組改之置者也（一八四二年）

⑦福田富士塚（山王）上平行の碑

元の役場脇の坂を深谷方向に上った右側にある富士塚のそばに立っている。富士教の信仰に関わる資料である。蓮嶽とは富士山のことである。富士山に三三回登ったという。塚の斜面には、「富士浅間大神」の小碑が三二基ならんでいる。この富士塚は、古墳に盛土をして高くしたものである可能性が高い。

「上平行宝山碑
神道富士教会長中教正佐藤彰篆額
一邱隆然特起於平野其西南富嶽対焉滑川繞焉四時之景象靡不佳是我／山王山之勝概而建上
平行翁碑之処也翁称平八尋改平行宝山其号嘉永／三年正月廿八日生于武蔵比企郡福田里考

曰仙五郎妣宮田氏翁其長子／天資淳朴夙信神道明治三年就清水雪枝専修富士講十二年為先達廿六／年任教導職試補累進大講義信徒及数百人之多翁居常敬神信仰極篤明／治十二年以来登蓮嶽迄三十三回今茲齢躋八秩矍鑠不衰於是卜山王山／上将奉祀浅間神社及三十三社以達宿望嗚呼敬神如斯強健如斯宜矣／信徒故旧欲樹碑以報其徳而中道罹病遂不起時昭和四年二月二日也悲／夫項門下来徴余文乃叙其梗概係以銘曰／

富嶽巍々　下生偉才　滑川泱々　永流芳来

昭和四年十二月

神山隈撰

石川巌書

持田徳次郎鐫」（一九二九年）

あとがき

地域の歴史に関心を持つようになったきっかけについて考えてみると、福田小学校の三年生のとき、井上宗治先生から福田で住居跡が発掘されたことがあるという話を聞いたことが最初の思い出である。当時は知らなかったが、これは一九五八年に、金井塚良一氏による滑川村綜合調査の一年目が福田地区で行われた際の話であった。古性前遺跡のことである。二年目の宮前地区の調査は翌年に実施され、寺谷遺跡の発掘で、ここでも住居跡の発見があったが、そのころの自分は全く知らなかった。

その後、滑川中学校で関根智司先生に出会い、郷土部でも教えを受け、歴史や考古学に興味を持つようになった。また、地名にも関心を持つようになったのであるが、これも関根先生の影響であった。そのような事情で、大学で考古学を専攻し、また地名の勉強を続けることになった。関根先生との出会いは自分にとって大変大きな出来事であったと感謝している。

大学卒業後は高校の教員になったが、村の文化財保護委員にしてもらったり、村史編纂にも参加せていただき、非常に勉強になった。このような機会が与えられたことも、誠にありがたいことと感謝の念に堪えない。

『滑川村史』は部厚くて難しいので、もう少し手軽なものを書いてみようと考えたことは、はしがきでも述べたとおりである。教員を退職後は、読書と郷土史研究と米作りをし、たまに野鳥の調査などをしている。また時々、古民家ギャラリーかぐや・風と土の館野田・エコミュージアムセンター・森のひろば（森の測定室）などで郷土史に関する講演会をやらせてもらっている。この本は、今までに発表した論文と、これらの講演会の内容が元になっている。毎度同じような話ではあるが、これからもこのような講演会を続けていけたらよいと思っている。

考古学をはじめとして、現在の諸研究は非常に細分化され、資料も膨大であることから、個人で研究するには限界がある。これに能力不足が重なれば研究は困難を極める。そこで、私は地の利を活かして自分にしかできない、地域に根差した郷土史研究をやろうと考えるようになった。郷土史という言葉は、お国自慢と非科学性・視野の狭さなどの面が指摘され、あまり使われなくなった。地方史や地域史という用語が今は一般的である。もちろんそれで良いのだが、私はお国自慢や非科学的でない郷土史研究が可能と考え、あえて郷土史という言葉を使っている。また、視野が狭くならないよう一応は努力している。それが成功しているかどうかは、読者のみなさんの判断にゆだねたい。郷土史の調査や研究が楽しいことであることが分かっていただければ、それだけで十分に幸いである。
なお、自分の能力と関心の限界から、まだまだ未解明の分野が多い。ほんの一例だが、町内には竹二坊の影響か、俳句の額（俳額）がたくさん残っている。福田馬頭観音・伊古神社・月輪神社・加田薬師・慶徳寺・興長寺・土塩淡洲神社・放光寺地蔵堂・月輪勢至堂などにある。今後の課題は尽きないが、これも課題の一つとしたい。また、『滑川村史』は発行の期限が決まっていたため、すべての大字（旧村）の古文書を調査するまでに至らなかった。まだ多くの未調査の古文書が埋もれていると思われる。今後、早急な調査が行われることを期待する。

さてここで一つの逸話を紹介したい。近世史研究者の西村慎太郎氏は、二〇一二年一月、東日本大震災で被災した古文書の修復を茨城大学で行っているとき、ある大学生から声をかけられた。福島県双葉町出身という。「運び出した実家の古文書をどうしたらいいでしょうか」。西村氏は、軽い気持ちで「一緒に読んで目録を作ろう」と答えた。これがきっかけで調査をすすめ、「史料を見ることや地元の人と話すことが楽しいし、地元の人たちが喜んでくれるのがうれしい」ということになってゆく。双葉町は復興祈念公園ができたら、被災地という記憶が残り、それ以前の郷土史が途絶え、生活史が消えてしまうと考えた西村氏は、二〇一七年にクラウドファンディングで資金を集め、双葉町両竹地区の歴史と避難先の住民の生活をまとめた

『大字誌』を作ろうと動き始めた。こうして二〇一九年に『大字誌　両竹1』(蕃山房)ができた。初めは一冊と思っていたが、一〇年間毎年一冊発行して、住民に無料で配る予定という。

私はこうした大字誌作成のような活動は、一つの研究のありかたとして誠に貴重な行動だと思う。また、被災地だけで行うことではなく、どこでも取り組むべきことと考える。地域には地域なりの歴史があり、それは人生と同じように千差万別で個性的である。これを郷土史というのである。

人類がアフリカ大陸で誕生してから六〇〇万年、命が途切れることなく続いているから、今ここに我々がいる。人間は生きている限り、一度は過去の時代を振り返り歴史を考えることがあるだろう。人はパン(米)のみにて生くるにあらずというべきである。

大学での恩師である近藤義郎先生から、私は、研究者の仕事の半分は教育にあると学んだ。それに従って教員になったのであるが、これは同時に、教育者は研究者でなければならないということでもある。教育は学校のみで行われるものではない。私の郷土史研究もそのような役割が果たせればうれしいと思う。「研究」とか「教育」とはおこがましいが、老人の道楽と思ってもらえればいいのである。

二〇二〇年一一月一〇日

高柳　茂

参考文献

『武蔵志』　福島東雄　一八〇二以前　『新編埼玉県史資料編10』　埼玉県　一九七九
『新編武蔵風土記稿』九・一〇　一八二八　雄山閣　一九七〇・七一
『武蔵国郡村誌六』　一八七六　埼玉県立図書館　一九五四
『日本考古学・人類学史下巻』　清野謙次　岩波書店　一九五五
『大日本国誌武蔵国』　内務省地理局編　ゆまに書房　一九八八
『埼玉県誌上巻』　埼玉県　一九一二
『福田村郷土誌』　神山熊蔵　一九一三　自筆稿本
『宮前村郷土誌』　宮崎貞吉　一九二六　自筆稿本
「武蔵比企郡の諸算者二・三」　三上義夫　『埼玉史談一一―六』・『同一二―一』　一九四〇
『滑川村宮前全図』　東日本測図社　一九五六
『滑川村綜合調査報告書第一集福田地区篇』　同調査団・滑川村教育委員会　一九五九
『神山霊湖先生遺稿集』　文京書道院　一九五九
『比企郡神社誌』　神社庁比企郡市支部　一九六〇

『埼玉県数学者人名小辞典』　野口泰助　一九六一　私家版
「埼玉県宮前村の古墳調査」　東京大学考古学研究室　『考古学雑誌四九—四』　一九六四
『新訂寛政重修諸家譜』　続群書類従完成会　一九六六
『日本城郭全集四』　人物往来社　一九六七
『埼玉県地名誌』　韮塚一三郎　北辰図書　一九六七
『埼玉県教育史一』　埼玉県教育委員会　一九六八
『埼玉県教育史金石文集上・下』　埼玉県教育委員会　一九六七・六八
『旧高旧領取調帳　関東編』　木村礎　近藤出版社　一九六九
『埼玉県教育史資料近代篇二』　埼玉県教育委員会　一九七一
『武蔵丘陵森林公園周辺地域文化財総合調査報告書』　埼玉県教育委員会　一九七二
『大谷遺跡』　滑川村教育委員会　一九七三
『開校百年の歩み』　滑川村立福田小学校　一九七四
『埼玉大百科事典』　埼玉新聞社　一九七五
『武州の力士』　中英夫　埼玉新聞社　一九七六
『滑川村福田全図』　東日本測図社　一九七六
『最新版埼玉県滑川村土地宝典福田地区』　日本公図株式会社　一九七六

『滑川村合併史』　滑川村教育委員会　一九七六
『栗原家文書』　滑川村史編さん室　一九七七
『高柳邦之家文書』　滑川村史編さん室　一九七八
『ふるさとの文化財散歩』　比企広域市町村圏協議会　一九七八
「竹二坊について」神山茂久　『校舎竣工記念誌』　滑川高校　一九七八
『思い出の図書館』　上野茂編著　一九七八　私家版
『埼玉宗教名鑑』　埼玉新聞社　一九七八
「丘陵地帯における伝統の手仕事（その一）滑川村の枇木つくり」　矢作尚也・栃原嗣雄　『研究紀要一』
埼玉県立歴史資料館　一九七九
『滑川村史民俗資料一』　滑川村史編さん室　一九七九
『大久保延二家文書』　滑川村史編さん室　一九七九
『日本城郭大系五』　新人物往来社　一九七九
「比企郡滑川村出土の須恵器と布目瓦」　高柳茂　『埼玉考古一八』　一九七九
「渡来系氏族壬生吉志氏の北武蔵移住」　金井塚良一　『埼玉県史研究三』　一九七九
『羽尾窯跡発掘調査報告書』　滑川村教育委員会　一九八〇
『羽尾地区文書』　滑川村史編さん室　一九八〇

『滑川村史民俗資料二　絵馬』　滑川村史編さん室　一九八〇
『角川日本地名大辞典一一埼玉県』　角川書店　一九八〇
『経木』　田中信清　法政大学出版局　一九八〇
『板碑Ⅰ・Ⅱ・Ⅲ』　埼玉県教育委員会　名著出版　一九八一
『埼玉県剣客列伝』　山本邦夫　遊戯社　一九八一
『埼玉武芸帳』　山本邦夫　さきたま出版会　一九八一
『部報比企二』　滑川高校郷土部　一九八一
『福田・和泉地区文書』　滑川村史編さん室　一九八一
『滑川村史民俗資料三　沼とその民俗』　滑川村史編さん室　一九八一
『埼玉県古代寺院跡調査報告書』　埼玉県史編さん室　一九八二
『滑川村史調査資料六　滑川の石仏』　滑川村史編さん室　一九八二
『埼玉の双体道祖神とその信仰』　中村光次　一九八二　私家版
『八十年の吾が人生』　栗原正一　一九八二　私家版
『芭蕉句碑を歩く』　小林甲子男　さきたま出版会　一九八三
『埼玉の古城址』　中田正光・池田誠　有峰書店新社　一九八三
『屋田・寺ノ台』　埼玉県埋蔵文化財調査事業団　一九八四

『部報比企三―比企地方の地下軍事施設』　滑川高校郷土部　一九八四
『滑川村史通史編』　滑川村　一九八四
『滑川村史民俗編』　滑川村　一九八四
「県立博物館が収蔵・保管する比企郡出土の形象埴輪について」　金井塚良一　『埼玉県立博物館紀要
一〇』　一九八四
「修験の形態と機能」　榎本直樹　『日本民俗学一五六』　一九八四
『新編埼玉県史資料編8』　埼玉県　一九八六
『埼玉の神社　大里・北葛飾・比企』　埼玉県神社庁　一九八六
『寺前古墳群・大道古墳』　滑川町教育委員会　一九八六
『部報比企五―本土決戦と幻の地下司令部』　滑川高校郷土部　一九八七
『船川遺跡』　金井塚良一・高柳茂　船川遺跡調査会　一九八七
「壬生吉志氏による地名移入説について」　高柳茂　『研究紀要四』　桶川高校　一九八八
「東国における後・終末期古墳の基礎的研究（一）」　田中広明・大谷徹　『研究紀要五』　埼玉県埋蔵
文化財調査事業団　一九八九
『新編埼玉県史資料編9』　埼玉県　一九八九
「滑川町の中世城館跡」　高柳茂　『研究紀要五』　桶川高校　一九九〇

「埼玉の中世石塔」　四方田悟　『埼玉史談三七—一』　一九九〇
「滑川町和泉泉福寺板碑について」　四方田悟　『埼玉史談三八—一』　一九九一
『埼玉俳諧史の人びと』　小林甲子男　さきたま出版会　一九九一
「忍城主成田氏に属した南一揆二十三騎について」　高柳茂　『研究紀要六』　桶川高校　一九九一
「天神山横穴墓群」　柳田敏司・田中一郎・小林茂　『埼玉県指定文化財調査報告書一八』　埼玉県教育委員会　一九九二
『大沼遺跡』　埼玉県埋蔵文化財調査事業団　一九九三
『埼玉県の地名　日本歴史地名大系一一』　平凡社　一九九三
「滑川町泉福寺板碑をめぐって」　高柳茂　『研究紀要八』　桶川高校　一九九三
『埼玉県古墳群詳細分布調査報告書』　埼玉県教育委員会　一九九四
『広報なめがわ縮刷版一・二』　滑川町　一九九四
『愚禅和尚の足跡を訪ねて』　熊谷市立図書館　一九九四
『渡来人と仏教信仰』　柳田敏司・森田悌編　雄山閣出版　一九九四
「北武蔵における初期寺院覚書」　青木忠雄　『埼玉史談四三—二』　一九九六
『滑川嵐山ゴルフコース内遺跡群』　同遺跡群発掘調査会　一九九七
『正一位稲荷大明神』　榎本直樹　岩田書院　一九九七

『師父列伝』　関根茂章　邑心文庫　一九九七
「日本仏教導入期の特質と東国社会」　坂野和信　『埼玉考古三三』　一九九七
『寛政譜以降旗本家百科事典』　小川恭一　東洋書林　一九九八
『埼玉人物事典』　埼玉県　一九九八
『埼玉県中世石造遺物調査報告書』　埼玉県教育委員会　一九九八
『幻の飛行場―旧陸軍松山飛行場』　玉川工業高校郷土研究部　一九九九
「武蔵寺谷廃寺の研究」　昼間孝志・木戸春夫・赤熊浩一　『研究紀要一五』　埼玉県埋蔵文化財調査事
業団　一九九九
「旗本加藤家に伝えられた徳川家康文書」　榎本直樹　『日本歴史一九九九年五月号』
『屋田古墳群』　嵐山町遺跡調査会　二〇〇一
『古代王権と武蔵国の考古学』　増田逸朗　慶友社　二〇〇二
『埴輪こぼれ話』　杉山晋作　歴史民俗博物館振興会　二〇〇三
『埼玉俳諧人名辞典』　内野勝裕　さきたま出版会　二〇〇三
『埼玉の古墳　比企・秩父』　塩野博　さきたま出版会　二〇〇四
「古墳時代の葬制をめぐって」　坂本和俊　『幸魂』　北武蔵古代文化研究会　二〇〇四
『戦国の城』　高志書院　二〇〇五

『東西の古墳文化』　藤原郁代編　天理ギャラリー　二〇〇六
『中世武士の城』　齋藤慎一　吉川弘文館　二〇〇六
『東国の埴輪と古墳時代後期の社会』　杉山晋作　六一書房　二〇〇六
「道祖神の呼称と石造物」　榎本直樹　『埼玉民俗三一』　二〇〇六
『東国武士と中世寺院』　高志書院　二〇〇八
『月輪遺跡群』　関口正幸・市川康弘　滑川町月輪遺跡群発掘調査会　二〇〇八
『比企遠宗の館跡』　齋藤喜久江・齋藤和枝　まつやま書房　二〇一〇
「中武蔵七十二薬師寅年開帳」　榎本直樹　『西郊民俗二一二』　二〇一〇
『寺谷廃寺・平谷窯跡Ⅰ』　酒井清治　駒澤大学考古学研究室・滑川町教育委員会　二〇一一
「福田村領主酒井氏の陣屋について」　高柳茂　『埼玉史談五八―三』　二〇一一
『滑川町都市計画図』一～一五　二五〇〇分一　滑川町役場　二〇一二
『続埼玉の城址めぐり』　西野博道　幹書房　二〇一二
『源氏三代の物語　木曽義仲　生誕の地』　植木弘ほか　嵐山町　二〇一二
「親族構造」　田中良之　『講座日本の考古学八』　青木書店　二〇一二
「官社小考」　森田悌　『東国の考古学』　六一書房　二〇一三
『武蔵の古代史』　森田悌　さきたま出版会　二〇一三

「亀田鵬斎とそれに連なる人々の碑・額」　石井昇　『埼玉史談六〇―三』　二〇一三
「福田村の和算家小林三徳について」　高柳茂　『埼玉史談六〇―一』　二〇一三
「寺谷廃寺・平谷窯跡覚書」　高柳茂　『埼玉考古四八』　二〇一三
『慶徳寺と菅谷観音「多田堂」の由来』　権田重良　二〇一三　私家版
『滑川町ふるさと散歩道』　滑川町　二〇一四
「埼玉県寺谷廃寺から勝呂廃寺への変遷」酒井清治　『駒澤史学八二』　二〇一四
『改訂歩いて廻る比企の中世・再発見』　嵐山史跡の博物館　二〇一四
『滑川町の地名』　高柳茂　まつやま書房　二〇一五
「庚申塔（三戸塔）の一例」　高柳茂　『埼玉史談六一―三』　二〇一五
「埼玉の虎御石」　高柳茂　『埼玉考古五〇』　二〇一五
『埴輪を知ると古代日本人が見えてくる』　塚田良道　洋泉社　二〇一五
『やまぶき　埼玉北西部の和算研究の個人通信』　山口正義　二〇一六　私家版
「龍穏寺山門の扁額について」　高柳茂　『埼玉史談六二―三』　二〇一六
「月輪古墳群について」　高柳茂　『埼玉考古五一』　二〇一六
「滑川町三門館跡と泉福寺」　高柳茂　『埼玉史談六三―三』　二〇一七
『学童集団疎開』　一條三子　岩波書店　二〇一八

『埼玉の城』　梅沢太久夫　まつやま書房　二〇一八
『北武蔵の和算家』　山口正義　まつやま書房　二〇一八
『埼玉の延喜式内社』　森田悌　埼玉式内社研究会　二〇一八
「芭蕉蔵伝承試論」　三原尚子　『国文学一〇二』　二〇一八
『埋葬からみた古墳時代』　清家章　吉川弘文館　二〇一八
『古墳時代の王権と集団関係』　和田晴吾　吉川弘文館　二〇一八
『地名は語る』　埼玉新聞社　二〇一九
「滑川町羽尾館跡をめぐって―羽尾七騎と南一揆二十三騎」　高柳茂　『埼玉史談六五―一』　二〇一九
『花気窯跡』　滑川町教育委員会　二〇二〇
『武蔵国の旗本』　埼玉県立歴史と民俗の博物館　二〇二〇
「埼玉県滑川町寺谷廃寺・平谷窯跡の出土瓦について」　酒井清治・生野一志・鈴木崇司『駒澤考古45』　二〇二〇

著者略歴
高柳 茂（たかやなぎ　しげる）

1951 年　埼玉県生まれ
1975 年度から 2010 年度まで埼玉県立高校教員

日本考古学協会会員
滑川町文化財保護委員会委員長
著書「滑川村史通史編」古代・中世の一部分担執筆
※論文については参考文献の項を参照

滑川町歴史点描

2021 年 4 月 15 日　初版第一刷発行
著　者　高柳 茂
発行者　山本　正史
印　刷　恵友印刷株式会社
発行所　まつやま書房
〒 355 － 0017　埼玉県東松山市松葉町 3 － 2 － 5
Tel.0493 － 22 － 4162　Fax.0493 － 22 － 4460
郵便振替　00190 － 3 － 70394
URL:http://www.matsuyama － syobou.com/

ISBN 978-4-89623-152-6 C0021